〔日〕**东野圭吾** 著

徐建雄 译

时生

南海出版公司

新经典文化股份有限公司
www.readinglife.com
出　品

时生

序章

　　透明罩中躺着一个年轻人。从面部表情来看，他似乎只是稍稍有点累才睡着了。然而，连接在他身上的多根管子，却显示着无法回避的严酷现实。或许，他还有着微弱的鼻息，可即便有，也被配置在他身旁那些维持生命的装置发出的声响掩盖了。

　　事到如今，宫本拓实已无话可说，只是默默地站在床边。他也无能为力，只能这么站着，看着。

　　右手好像碰到了什么东西。过了几秒钟，他才反应过来，那是丽子的指尖。妻子的手指捏住了他的右手。他望着病床，也握了妻子一下。她的手纤细、柔软而冰冷。

　　不知何时，主治医生来到他们身边。宫本夫妇已经与他打了几年交道。他泛着油光的额头和疲惫不堪的面容透着中年医生的辛劳。

　　"在这儿说，还是……"医生欲言又止。

　　宫本又看了一眼病床，问道："他能听见吗……"

　　"这……应该是听不见的，他正处于睡眠状态。"

　　"是吗？还是去外面说吧。"

　　"好吧。"

　　医生向护士交代了几句，便走出了病房。宫本夫妇紧随其后。

"很遗憾，我不得不说，他恢复意识的希望已微乎其微。"

医生站在走廊里，淡淡地说道。可对听者而言，这句话无异于一个残酷的判决。

宫本点了点头。他悲痛万分，但并未觉得意外。这是个迟早会听到的判决，他早已作好心理准备。身旁的丽子也默默地垂着头。流泪的阶段早已过去了。

"也不是没有一丝希望吧？"宫本确认道。

"该怎么说呢？你若问我有百分之几的希望，我无法回答，但……"医生低下了头。

"这就行啊！"

"就算他清醒过来，恐怕也是……"医生咬紧嘴唇，没让后面的话出口。

"我明白。只要他再清醒一次就行。"

医生闻言偏过头，不解地望着宫本。

"如果他能再次恢复意识，就能听到我的话了，对吧？"

医生想了想，点点头，道："应该能听到。你就抱着这样的信心对他说吧。"

"好！"宫本握紧双手。他和丽子离开了重症监护室门口，剩下的事情全交给医生了。

深夜的住院楼里寂静无声。他们走到候诊厅，这里也只有长椅排列在一起，空无一人。他们在最后面的长椅上坐下。

两人一时无言。拓实想对妻子说些什么，可一想到她此刻的心情，就觉得难以开口。

"累了吗？"

妻子倒先说话了。

"不，就这么一会儿，哪能呢。你呢？"

"我倒是有点累了。"她呼出一口气。

这也难怪，儿子三年前就卧床不起了，而夫妇俩更是远在那时之前便开始奋斗。自从儿子呱呱坠地，严格地说，是从决定让他出生之时起，就注定会有今日的苦恼。想到这里，宫本甚至觉得，能让妻子轻松一点的日子终于临近了。

在认识丽子之前，宫本根本不知道格雷戈里综合征。他是在二十年前向她求婚时才得知的。

那场一生一世的真情告白发生在一个毫无情调的场所——东京站旁边的一家大型书店。书店二楼是个茶座，两人相对而坐，喝着红茶。他们曾多次在茶座约会。

本想找一个气氛好一点的地方，可由于双方工作上的关系，未能如愿。当时，见面的时间很紧张，对方也许会说，来不及就改日吧，可宫本在清晨就下定决心：要在当天表明心意。他觉得，若再拖延，机会就将错过了。

求婚的话其实都是老一套，关键是要让对方明白自己的心意。宫本并不觉得太过鲁莽，他相信，只要自己求婚，丽子答应的概率为百分之九十九。因为这时两人已经发生过关系，更重要的，是他真切地感觉到丽子对他有好感。

然而，丽子的反应令他大为意外。

他一开口，她便现出痛苦的神情，随即低下了头。可以感觉到她在紧咬牙关，而不是喜极而泣。

"怎么了？"宫本问道。

丽子不答，一时也不肯抬头。宫本只好耐心地等待。

不久，她抬起了头，两眼微微发红，但脸上并无泪痕。她还是打开小包，取出手绢按了按眼角，然后望着宫本，嫣然一笑。"对不起，让你受惊了。"

"你怎么了？"他又问了一遍。

"嗯……"她没有马上回答，却做了一个深呼吸，然后直直望向他的眼睛，道，"谢谢！拓实，你还是第一次对我说这样的话。我很高兴。"

"那么——"

"不过，"她打断了宫本，"我很高兴，也很难过。我怕听到这样的话。"

"呃？"

"很遗憾，我是不能结婚的。"

"啊……"宫本觉得像一脚踩空了一样，"你不同意？"

"别误会，不是我不喜欢你、另有心上人之类的事情。我决心无论跟谁都不结婚，单身过一辈子。"

听语气她不像是临时应付。她直勾勾地盯着宫本的双眼中，也透出一股认真的劲头。

"到底是怎么回事？"

"我呀，"她说，随即侧过脸纠正道，"应该说是我家，根据古老的说法，是被人诅咒，遭了厄运的，血统很坏，不能繁衍子孙。所以，我也是不能生孩子的。"

"等等。什么诅咒之类的毫无科学根据啊。"

看到宫本不知所措的样子，她咧开嘴，凄然一笑。"所以我说是按照古老的说法。以前，我们也觉得是不科学的。只不过是家族中偶然出了这样的人，才无法传宗接代。但事实并非如此，这一点已经证明了。"

接着，她又问宫本，有没有听说过格雷戈里综合征？

宫本摇摇头。她便镇静地将这种被诅咒的病解释了一番。

这是在二十世纪七十年代初，由德国学者发现的一种遗传疾病。患者的脑神经会逐步死亡，一般在十五六岁之前看不出什么，可一到了这个年龄就会出现症状。典型症状是运动机能逐步丧失。先是手脚难以动弹，不久，除极少数关节外，便完全不能运动了。与此同时，内脏功能也不断下降。恶化到这种程度时，患者不依靠某种辅助方式已无法生活。卧床两三年后，便会出现意识障碍，记忆缺损和思维混乱加剧。不久，意识会时有时无，直至完全丧失——患者变成植物人。然而，这一状态不会持续多久，接下来，大脑功能将完全停止，也就意味着死亡。

这样的病例在世界范围内都很少，尚未找到治疗方法。虽说是遗传疾病，但带有这种基因的人未必都会发病。目前对此病仅有的认知是：缺陷基因附着在 X 染色体之上。该病又被称作伴性遗传病。发病的多为男性，女性患者极少，因为女性有两个 X 染色体，而男性只有一个，无法处理附着的缺陷基因造成的故障。

丽子的小舅舅在十八岁时病死了，其症状与此一模一样。外婆的哥哥也遭遇同样的命运。医学界刚将对格雷戈里综合征的发现公之于众，丽子的父亲便觉得这与妻子的亲属罹患的疾病很相似。他跑了许多医院，找到了能发现携带者的有效方法。

他想知道的，并非自己的妻子是不是缺陷基因携带者，而是自己的独生女儿，因这一结果将决定他外孙辈的命运。

"我也许一生都不会忘记父亲叫我去接受检查时的神情。"丽子向宫本坦承道，"他在我眼里简直像个恶魔。嗯，也不是，应该说是降妖捉鬼的法师。我听见母亲在隔壁哭泣。当时，真像置身于地狱中一般。"

"你恨你父亲吗？"

"当时恨，无法理解为何要我去接受那种检查，但转念一想，父亲是对的。若明知自己有可能是缺陷基因的携带者，却若无其事地结婚生子，也太不负责任了。不过，父亲从没责怪过母亲，从没说过从一个异常的家庭娶了老婆、吃了亏之类的话。"

"你去检查了？"

丽子点点头。"检查结果不用说了吧？"

宫本沉默着点了点头。现在他完全理解丽子要一生独身的理由。

"知道结果时，我真难以接受。为什么我会这么倒霉？明知没有道理，我还是对母亲乱发火。当时，父亲打了我一巴掌。他说，结婚不是人生的全部。"说着，丽子不自觉地摸了摸左脸颊。

宫本想说自己听了也很受打击，但话到嘴边又咽了下去。自己的感受与丽子的痛苦相比，又算得了什么呢？

"明白了吧，我无法接受你的请求。难得你对我这么好，我高兴得直想哭，可你要结婚，就只好另找他人了。"说完，她攥紧手绢，低下了头，长长的秀发遮住了脸庞。

"不生孩子不就行了？"

她还是摇头。"我知道你非常喜欢孩子。我也不是没这么想过，也想过让你放弃孩子。可是，和你交往到现在，我已经完全明白你对生活的向往，不能让你抛弃梦想。"

买一辆露营车，到了周末就全家一起去山上或海边。生两个儿子，有个女儿也好，可以将她打扮得漂漂亮亮的。大家一起在河边烤自己钓的鱼。若能过上这样的生活，还要过多的钱干什么？只要有个人人健康、充满欢笑的家庭，就别无他求了。

宫本的脑海中出现了自己对丽子讲过的这些话。当时，她听后也笑了，可男友的这些憧憬无异于一把把刺向她心头的尖刀。

"那些梦想就随它去吧，反正当时也没怎么认真想过，还有更要紧的事呢。我想和你在一起，将来也想一直与你一起生活，没孩子也无所谓啊。"

估计当时丽子觉得他太孩子气了。宫本回想起这番话，自己也觉得害臊。然而，那并非虚言。当时的确有点头脑发热，一时冲动才那么说，但他并不后悔。

可丽子似乎认为他在意气用事，说了声"改日再说吧"，就道别了。

日后，又有过同样的交谈，只是换了个地方。宫本来到丽子家，在她的双亲面前低下头，说自己已经全知道了，恳求他们同意他和丽子结婚。

这位已知女儿身缠厄运的父亲，个子较小，体态却极佳。从他采取的行动上，宫本猜他一定极其理智、表情冷漠，见面后却发现他是个极爽快、极温和的市井大叔。宫本想，这么个老好人究竟怎样才会变成降妖捉鬼的法师呢？

"宫本先生，简而言之，这是件很严重的事情。现在你只顾眼前，才说这样的话，但人会随着时间而改变。刚开始，你会觉得只要两个人在一起就行，可时间一长，就会想要孩子了，尤其是朋友、亲戚家里添了小孩的时候。到那时你再后悔，丽子就有苦难言了。"

"我保证，绝不会有那种事。"

"现在是没问题，可十年、二十年以后呢？如果让人感到后悔娶了我们的女儿，我们也会难过。更何况你的父母会怎么想呢？我把话说在前面，我可不赞成对你父母隐瞒丽子的病情。直截了当地说，<u>我们不想弄虚作假地将女儿嫁出去，因为迟早会真相大白。</u>"

"我没有父母。"宫本说明了身世。

丽子的父亲听后有些吃惊，但并未就此多说什么。"你不是娇生惯养的少爷，这一点很清楚，但婚姻大事不可凭一时冲动。"

"求您了，我一定会使丽子幸福。"宫本深深地低下了头。

丽子的父亲似乎叹了一口气，问女儿："你觉得怎样？能好好地过下去吗？"

"我，"她稍顿后说道，"愿意相信拓实的话。"

"是吗？"父亲又叹了一口气。

婚礼是在一个老教堂里举行的，相当简朴，只请了些亲戚，但宫本心满意足——新娘美丽动人，天空湛蓝如洗，大家祝福的话语又那么感人。

两人在吉祥寺的一套小公寓内开始了新生活，一切都很顺利。不能生孩子的事常常会让某一方伤心，有时两人也相互刺激对方，但总是没过多长时间就将它抛在一边了。

然而，苦难从一个意想不到的方向不期而至。丽子怀孕了，那是在婚后整两年的时候。

"绝对不会有这种事！"宫本抱头咆哮。

"千真万确，我去医院查过了。你可别胡思乱想，百分之百是你的孩子。"丽子平静地说。

宫本根本没怀疑那不是自己的孩子，只是不愿面对。的确，并非全无可能，他们自然采取了避孕措施，却越来越不严格。此事应该是一时大意所致。

"有什么好担心的呢？明天我就去。"丽子尽量说得轻松一点。

"要打掉？"

"嗯，不然又能怎样？"

"不就是一半对一半吗？"

"什么？"

"疾病遗传的概率啊。即便是男孩，继承有缺陷基因染色体的概率也只是百分之五十，对吧？如果是女孩，就算遗传了，也不会发病。"

"你想说什么呀？"

"就是说我们的孩子得格雷戈里综合征的可能性是百分之二十五。反过来说，生下正常孩子的可能性有百分之七十五。"

"所以，"丽子盯着他的脸，"你想让我生下来？"

"也有这样的选项吧。"

"别胡说。我已经下定决心，你不要来动摇我。"

"不还有百分之七十五吗……"

"数字随它去好了，这又不是抽签。万一是个男孩，遗传了缺陷基因该怎么办？难道说一声'运气不好，没抽中'就行了？孩子有病归有病，也是有人格的。对我来说，要么是零，要么是百分之百，我选零。结婚前不就已经说好了吗？"

丽子的话没错。对孩子来说，没有什么中不中签的问题。宫本无言以对。

但他没有那么干脆。有什么东西在他心中活动起来——一个已遗忘许久的东西。

宫本苦恼着，思考着。堕胎不是最好的办法，他开始寻找心中萦绕不去的那东西的真实面目。

不久，他耳边响起一个年轻人的声音——

<u>未来不仅仅是明天。</u>

对了！自己要找的就是"他"说的话。

"生下来吧！"他恳求丽子，像恳求她父亲时一样，深深地低着头，"不管有什么结果，我都不后悔。不管生下什么样的孩子,我都真心爱他,尽力使他幸福。我会尽一切努力。"

丽子一开始并不相信，还发了火，说他总是意气用事，但见他依然低头恳求，才明白他所言非虚。

"你知道这意味着什么吗？"

"知道。如果生下了患病的孩子，就要受苦了，对吧？没关系，我要你生下来，那孩子肯定也想降临人世。"

丽子说："让我想想。"之后，她整整考虑了三天。

我也下了决心——这就是她考虑的结果。这次她根本没与父母商量。等怀孕四个月才向家里汇报时，她的双亲特别是父亲勃然大怒。

"负起责任来！你们两人自己决定的，你们自己去解决。不论有什么后果，都不要后悔，也不要来哭鼻子！"

父亲最终也没有同意，双方几乎吵翻。然而，他们出门后，一直沉默不语的母亲追了出来。

"既然你们决定要生，我也不多说什么了，但有句话你们可要记着。"她看了看他们，"如果真得了那病，他本人自不用说，你们也要苦死了，简直是生不如死啊。"

她的弟弟因同样的疾病去世了。无疑，当时的痛苦深深地刻在她心上。不过，她并没有诉说那些痛苦的往事。

"我们准备受苦，和孩子一起受苦。"宫本说完，丽子望着他的眼睛点了点头。

几个月后，丽子生下了一个男孩。

"名字就叫时生。"宫本抱着刚出生的孩子道，"时间的时，出生的生，可以吧？"

丽子并未反对。"你早就想好了？"

"嗯，这个……"他含糊应道。

宫本和丽子都没要求给时生做体检。宫本当时想，或许丽子也抱着同样的心思：知道了又能怎样呢？

其实，他确信，如果检查，十有八九会得出不好的结果。这倒不是他下意识认为如此，可以说，他当时已有预感。

时生很健康地成长着。正像结婚前憧憬的那样，宫本买了一辆四轮驱动的客货两用车，经常带妻儿四处兜风。最令时生开心的一次，是从东京一直到到北海道，几乎游遍了那里。在一座能俯瞰薰衣草田的山冈上，他们吃了烧烤。晚上，三人挤在狭窄的车内，打开顶棚，眺望着满天星斗，直到睡着。他们也去了令人怀念的地方——大阪的一家面包厂旁边的公园。为什么那是个令人怀念的地方，宫本却没说。

时生上小学时毫无问题。他成绩好，又擅长体育，还颇具领导才能，朋友很多。上初中时，也基本没事。所谓"基本"，是因为临近毕业时他出现了某些症状。身体的各个关节开始疼痛，有点像普通的关节痛，他还以为是玩足球玩过了头。父母并未对他说过什么被诅咒的血统。

宫本带时生去了医院，但不是什么整形外科之类。他早已找好治疗格雷戈里综合征技术最好的医院，并与权威医生取得了联系。那位医生曾嘱咐他，一旦有可疑症状发生，马上将孩子带来。

这正是时生一直住院的医院。

医生的结论对宫本家来说无比残酷，但也在夫妇俩意料之中：孩子的病毫无疑问是格雷戈里综合征。

"我将尽力抑制病情的发展，但要想完全阻止恶化——"后面的话医生没说出口。

丽子当场失声痛哭，眼泪啪嗒啪嗒地落在地板上。

考入高中后不久，时生就住院了，因为此时他走路都已开始困难。他把崭新的教科书带到病床上，刻苦自学，以便随时能重返学校。

"爸爸，我总能治好吧？"时生经常问宫本。

"当然能治好了。"宫本总是这么回答。

不久，时生说想要电脑，宫本第二天就给他买来了。然而，没过多久，电脑也用不成了，时生的手指已无法随意活动。

与一个电脑工程师朋友商量后，宫本买来了当时还很贵的语音输入装置，又将电脑改造得只用一个手指便几乎能完成所有操作。时生躺在床上，通过网络便可和全世界的人交流了。

然而，病魔并未放慢脚步，黑暗的命运毫不留情地降临到时生身上。渐渐地，他无法正常进餐，排泄困难，免疫力下降，心脏也开始出现障碍。

不久，终于进入了最后阶段。时生明明醒着却毫无反应，奇怪的发作也越来越频繁。这是意识障碍的后果。

所幸，意识清醒时，他似乎还听得见。因此，只要时间允许，宫本和丽子就陪在时生身边，对他说能想到的一切事情：演艺圈和体育界的事情、时政新闻、邻居与朋友的动态，等等。高兴的时候，时生会多眨几下眼睛。

终于，发展到了今天晚上。

护士疾步走来，宫本的身体僵硬了。但好像与他们无关，护士从他们面前走过。

宫本已半起身，见状又坐了回去。

"不后悔吗？"他问了一句。

"什么？"

"生下时生。"

"嗯，"丽子点了点头，"你呢？"

"我……不后悔。"

"哦，这就好。"她反复搓着放在膝盖上的双手。

"你觉得把他生下来好吗？"

"我？"丽子将垂到前额的头发捋了上去，"我想问问那孩子。"

"问什么？"

"有没有'来到世上真好'的感觉？幸福吗？恨不恨我们？可我问不出口。"说完，她双手掩面。

无疑，时生知道自己得的是什么病。宫本是在看他的上网记录时知道这一点的。时生曾输入"格雷戈里"这一关键词，浏览过几个机构的信息。

宫本舔舔嘴唇，做了个深呼吸。"其实，我有话要说，是关于时生的。"

丽子望向他，只见他双眼充血。

"很久以前，我就遇见过他了。"

"啊？"丽子侧过脸，"什么意思？"

"那是二十年前的事了，当时我二十三岁。"

"你在说时生？"

"是啊。"宫本盯着丽子的眼睛，一定要让她相信自己的话，"当时，我遇见了时生。"

丽子似乎有点害怕，缩了缩身子。

宫本摇摇头。"我脑子很正常，一直想说来着，可我决定不能在时生神志清醒时说。现在，应该可以了。"

"遇见过时生……这是怎么回事？"

"没什么特别的含义，他跨越了二十年的时间去寻找我。依现在的状态来说，他就要去找二十三岁时的我了。"

"开什么玩笑？"

"不是开玩笑。很长时间以来，我一直不相信，直到现在，才能充满自信地说出这件事。"

宫本紧盯着妻子的脸。他明白这番话令人难以相信，但至少要让妻子明白，自己没有发疯。

不多时，丽子问道："在哪儿遇见的？"

"花屋敷①。"他答道。

---

① 位于东京台东区的浅草寺附近，是东京历史最悠久的游乐园。

1

　　带着阵阵浮夸低俗的声响，过山车飞速滑落。那是日本最早的过山车。游客们大惊小怪地尖叫着。看到他们个个面带笑容，拓实便觉得不爽。

　　个个都像傻瓜。从脸上就可看出，他们根本没吃过什么苦。

　　现在还不到五点。他坐在长椅上，吃着冰激凌。天上阴晴不定，也不知会不会下雨。一个黄色气球飘过混浊的天空。就在他抬头看天的时候，融化的冰激凌溢出了蛋卷，流到手掌上。他赶紧拿开，但还是慢了一拍。啪的一声，一滴冰激凌落在他松开的领带上。

　　"啊，浑蛋！"他用空着的那只手去解领带，却一时解不下来。他不习惯系领带，也不擅长解开。没办法，只得吃完了冰激凌，腾出双手，才解了下来。手上的冰激凌没擦，解下的领带自然也黏糊糊的。他坐在长椅上没动身，将领带扔进旁边的垃圾筒。

　　这下轻松了。

　　拓实取出一盒七星牌香烟，叼上一支，用廉价的芝宝打火机点燃，抽了一口。夹着香烟的右手手指上还残留着揍中西时的感觉。

　　仅仅两小时前，中西还是拓实的上司。其实，他与拓实年龄相仿，但头发烫得潇洒，又穿着做工考究的双排扣西装，故而显得老成持重。

拓实知道，那西装也是借来的。

中西的部下连拓实在内共有三人。今天的活动场所是神田车站旁边，目标是外地来的大学新生。

"怎么知道他是不是外地来的？"拓实问中西。

"那还不好区分？土里土气呗。"

"你是说穿着不入时？"

"才不是呢，眼下已是五月，也该知道穿什么了。^① 可那些乡下人是打扮不来的，穿着不搭调啊。"

拓实暗笑——你自己不也穿着不合身的西装嘛！

另外两人单独行动，拓实还要跟着中西见习一段时间。今天是他做这份工作的第二天，昨天他一个人去了池袋，一套也没卖出去。

拓实的口袋里也装着商品，可从昨天起他就想，会有这样的傻瓜来买吗？

"试试那个家伙。"中西冲人行道扬起下巴。

那边走来一个穿牛仔裤和马球衫的年轻人，看样子并不急着赶路。

"不好意思，能问您几个问题，做个调查吗？不会耽误您多少时间的。"中西像变了个人似的，用柔和动听的语调说道。

然而，那年轻人看也没看中西一眼，径自朝车站走去。拓实听见他咂了咂嘴。

中西又问了几个人，还叫拓实别傻站着。于是，拓实也逐个向路人搭讪，却连一个驻足聆听的人都没有。

中西倒让一个行人停下了脚步。那是个穿着马球衫、高中生模样的细脖子青年。中西请他回答几个问题，他同意了。

"那么我们先从职业开始吧，你还是个学生？"中西流利地问开了。

---

① 日本的大学三月开学。

那青年称是。

然后，便是"你要去哪里"、"喜欢哪个明星"等无关紧要的问题，但其中还暗藏着这样一个问题："你身上带着多少钱？ A. 不到五千元；B. 五千至一万元；C. 一万至两万元；D. 两万元以上。"

年轻人选了C。

如果这时他回答A，提问便会草草收场。中西面不改色地打开了第二张调查表。

"你喜欢旅游吗？""至今去的最远的地方是哪里？""今后还想去哪里？"这类提问又开始了。不喜欢旅游的大学生很少，那青年放松了表情回答起来，中西不时地附和着，露出钦佩的神情，讨客户喜欢。

到了最后一个问题："如果民居、酒店的费用打对折，你会去更多地方旅游吗？"

"会啊。"马球衫青年答道。

"好，谢谢合作。回答全部问题的，可享受适用于全国的民居、酒店的特别打折套餐。能麻烦你在最后一栏填上尊姓大名和联络地址吗？"

"哦，这个……"年轻人接过递来的圆珠笔，依言写下了名字和住处。

中西取出一个大计算器般的仪器，输入调查表上的编号。年轻人写完时，中西几乎同时完成。

"辛苦了。这就是特别打折券。"中西从上衣口袋中取出一叠黄色的纸片，在大学生面前哗哗地翻了一通，"你看看，从北海道到九州，有名的酒店全在里面了，到哪儿都能打折。看这个，一万元一晚的只要五千，有的还能狂吃自助餐。有了这些，无论去哪里旅游，都会便宜许多啊。"中西讲得飞快，青年只有点头的份儿。

"哦，你刚才说和朋友一起去旅游的情况较多。好，再加你一套吧。"中西又从口袋里取出一叠。

"啊，好的。"年轻人接过两叠打折券。

"那么两套一共是九千元。给大票也没关系，有零钱找给你。"

一旁的拓实看到年轻人的表情开始狼狈起来：他刚反应过来，所谓有零钱找，是要自己先付钱的，同时又觉得自己应该明白刚才一直在谈买特别打折券的事。

中西早已从钱包中取出一千元，严阵以待。年轻人的目光游移不定，从牛仔裤口袋中取出钱包，从中摸出一张万元钞。

"啊，非常感谢。"中西接过钱，将一千元塞给对方，便风一般地离开了。拓实紧随其后。

"就这么干，简单吧？"中西炫耀道。

"那个大学生还在看我们呢。"拓实回头望了望。

"不好！从那边拐进去。"

他们在一家大型书店旁拐进了一条小巷。

"怎么样了？"

拓实探出头去，穿马球衫的年轻人已不见踪影。"走了。"

"好。"中西叼起一根希望牌香烟，点上了火，"抽完这支烟再回去。"

"我可干不来。"拓实拉长了脸。

"不干怎么行？关键是气势和时机。在一旁听着，你会觉得，怎么会上这样的当，对吧？"

"嗯。"

"要紧的是，要让客户觉得是自己不好。你应该明白这套打折券为什么定价四千五百元吧？"

"不懂，要是卖五千元，两套整一万，就不用找什么钱了。"

"妙就妙在找钱上。客户听到一半时，还以为打折券是免费的。如果这时我们说两套刚好一万元，有的客户就会一下子愣住。这么一来，好容易积累起的势头就乱了，客户就会醒悟'原来搞的是这一套'，就不买了。"

"这个我明白，可为什么有了找头就妙呢？"

"'给大票也没关系，有零钱找给你的'，这句话要说得一气呵成，不知不觉中便能让客户领悟到正在谈买卖。这样，客户就会觉得所谓免费是自己弄错了。这是个关键，乡下人都不愿意让人知道自己弄错的，只好认倒霉掏钱。"

道理就这么简单，中西笑了笑，将烟蒂摔到地上踩灭，说："走吧。"

拓实望着中西的窄肩膀想，手法是没得说，可只有坏透了的人才干得出来。

回到老地方，中西让拓实单独去捕捉客户。拓实招呼了几个人，也让几个人回答了提问，可依然一无所获。对方只要明白过来是要花钱的，就全跑了。

"你的技术太臭了，不能让客户有思考的余地。"中西在电话亭旁教训拓实。

"总觉得是在骗人，自己就受不了。"

"浑蛋！你说这话，这买卖还干得成吗？"

这时，拓实的视野里出现了一个年轻人，就是那个穿马球衫的大学生。他走近了，看来已经找了他们好一阵子。中西也发觉了，立即拉长了脸。

"劳驾，刚才我买的这个……"年轻人拿出那两套打折券。

中西不与他目光相接，以与提问时判若两人的冷峻表情侧对着他。

"今天急着用钱。这个还给你们，你们把钱……"

中西大声地哂了哂嘴，终于望向这个大学生。"你说什么？事到如今，你这不是难为我吗？刚才你不是已经签了合同？文件上不都写了你的名字了？"

"我以为那是调查的后续部分。"

"那是你的事。我已经输入仪器了，无法取消。"中西又晃了晃那个大型计算器般的仪器。

　　大学生低下了头。"拜托了！那是我留着明天回老家的路费。没了这笔钱，我就回不了家了。"

　　"我可管不着。"中西抬腿便走。

　　"等一等，求你了！"大学生不断地躬身，拉住了中西的衣袖。

　　"拿开你的章鱼脚！"

　　"中西，"拓实插进来将他们分开，"何必呢？你就把钱还给他吧。"

　　中西瞪起了眼睛。"你说什么？你给我走开！"

　　"不就是九千元吗，有什么了不得的？"

　　"你到底是哪边的？你倒是先去赚个一两千来看看。没本事就别来充什么好汉！"中西唾沫横飞，溅到了拓实的脸上。

　　拓实的神经被刺痛了。"我不干了。这种脏活没法干！"他将装着商品和调查表的包放到脚边。

　　"随你便。我可告诉你，你今天的工资没了。"

　　"没了就没了呗，你快把钱还给他。"

　　中西闻言，立刻伸手抓住拓实的领带。"别昏了头！我为什么要听你的吩咐，嗯？"说着，他冲拓实小腿的正面踢了一脚。拓实疼得弯下了腰。一口唾沫随即落在他眼前，头上传来一声臭骂："浑蛋！"

　　拓实站起身。中西一副"你还有什么话说"的表情。

　　拓实刚才觉得通体无力，但这时，他将全身的力量都集中到右手上。打开肘关节的同时，他看到自己的拳头直直捣入中西的鼻子与脸颊之间，就像电影中的慢镜头一样。

　　中西的身体一直飞到电话亭旁边，磨损严重的鞋跟都露了出来。

　　拓实这才回过神来。路上的行人全站住了，那个大学生也已不见，看来是逃走了。我也是开溜为好——拓实撒腿就跑。

2

那盒七星已空空如也，拓实从长椅上站起身。从明天起又要找工作了。这是最烦人的。

他正低头走着，一个球滚到了脚边，是个软式棒球。他拾起来一抬头，见一个小学生模样的男孩跑了过来。"不好意思。"

男孩接过球，便回到他原来待的地方，那里挂着一块"打鬼游戏"的牌子。

拓实将手插在口袋里，走了过去。那个男孩正在扔球，目标是拿着铁棒的红鬼的肚子，却没击中。他似乎还想扔，却被一个像是他妈妈的女子拖走了。

拓实走到卖球人那里。一百元五个球，买联票要便宜些，但他又不想常来。

他感受着球的手感，站到扔球的位置上。好久没握球了，他不觉间采取了扔曲线球的握法，那是他最拿手的投掷法。

他回想起以前站在投球位时的情形，瞄准红鬼的肚子轻轻将球扔了过去。他觉得应该会径直命中，扔出的球却画了一道意想不到的弧线，击中了红鬼的肩膀。

"状态不行啊。"他自言自语着转了一下右肩，稍稍用心地扔出了第二个球。又没中，擦着红鬼的大腿偏出。

拓实脱了上衣，他较上劲了。

他想象对面站着接球手，对准想象中的接球手套投了第三、第四个球，可依然一个也没中，用足力气投出的第五个球更是偏出了老远。

拓实跑到卖球人那儿又拿了五个球。这时，他才注意到有观众在看他。说是观众，其实只有一个人，看上去不到二十岁，个子不高，瘦瘦的，挺精干，黝黑的脸庞和发型让人联想到冲浪运动员，T恤衫外面罩了一件连帽短风衣。

拓实本想说一句："看什么看？"可看到那青年亲昵的笑容，便咽了回去。那人的眼神叫人联想起找到了主人的狗的眼神，令拓实很在意。

他开始投球，前两球都投偏了。风衣青年扑哧一笑。

"笑什么？有什么好笑的？"拓实没好气地问道。

"不好意思。并不是有什么好笑，只觉得真是一成不变。"

"什么？"

"投球位、投法一直是这样。肘部偏低，光用手腕在投。"

"对不起了。这不用你管。"

真叫人恼火！可气的是，他一眼就看出了拓实投球的缺点，以前教练也没少说"拓实，肘又垂下了"云云。

第三球又打偏了，第四球也没中。拓实觉得越投越控制不好了。

"有些投手很怪，"风衣青年搭讪道，"对准本垒投失控，投牵制球时倒很准，大概是专心致志、肩膀放松的缘故。"

"想说什么？"

"没什么，我说也有这样的投手。"

这人净说些莫名其妙的话，却令拓实耿耿于怀。投本垒时失控，投牵制时准确，不错，别人也经常这么说他。

拓实抓起最后一个球，正要做动作时，恰好与那青年四目相对。

那青年没笑，正一本正经地看着他。

拓实喘了一口气，看了一眼靶子便转过身，背朝红鬼站着。

第九局后半局，两次出局，领先一分，跑垒员在一垒——拓实在脑海中描绘出棒球比赛时的情形，球场泥土的气息，拉拉队的呼喊声。

他猛地一转身，对准红鬼的中心而不是一垒，将球投了出去，不偏不倚，正中目标。

红鬼挥起铁棒"嗷"地大吼一声。命中了！

青年拍起手来。"中了，名不虚传啊。"

总算中了一个，拓实松了口气，却不好意思在脸上显露出来。别人或许会以为是碰巧投中的呢。他走到卖球人那儿，又掏出一枚一百元硬币，接过五个球，回到投球的位置。

这次，一开始他就用投牵制球的手法来投，先背对着红鬼，倏地转身，球便出手。控制力简直与刚才判若云泥，球一个接一个命中，红鬼吼叫连连。

见最后一球也漂亮地命中了，拓实拿起上衣披在肩上，走到外面。

"投得好啊。"青年搭讪道。

"真要投的话，就那样吧，刚开始时肩膀不太适应。"

"到底是牵制球之王啊。"

"咦？"拓实停下脚步，看着那青年，"你怎么知道？"

"什么？"

"你刚才说牵制球之王，你怎么知道别人都这么叫我？"

青年转了转眼珠，轻轻摊开双手。"也不是早就知道，刚看你投球时才想到。"

拓实觉得不太对劲，可又没理由不相信他的话。自己在高中棒球社时代的事情，这个素昧平生的青年怎么会知道呢？

"好吧，再见。"

拓实挥了挥手便要走开，那青年却将什么东西送到他面前。定睛一看，是一条藏青色的领带，正是他刚才扔进垃圾筒的那条。

"洗洗还能用，扔了怪可惜的。你过的不是穷日子吗？"

一听"穷日子"拓实心里便来气，可另一件事更加蹊跷。"你小子是什么时候盯上我的？想干吗？"

"不能说盯上你，应该说在找你，老实说，找你可费劲了。因为线索只有花屋敷这么一条，提示再多些就好了。没办法，我只好一直等在入口处。"

他的话叫人全然摸不着头脑。拓实想，这小子是不是脑子有毛病？

"你的事情我可管不着。"拓实夺过领带，转身就走。

身后传来了青年的声音："你的事情我可全知道，宫本拓实先生。"

3

宫本不得不停下脚步，转过身来。"你怎么知道我的名字？"

"我不是说了吗？你的事情我全知道，所以我一直在找你。"

"你是什么人？"

"时生，宫本时生。"他说罢还点了一下头。

"宫本？开什么玩笑！"

"没开玩笑。"他的眼神倒确实挺认真。

"怎么回事？"

时生皱起眉头，搔了搔头。他的长发乱了。"我也一直在想，该怎么对你说才好。如果说实话，你肯定不会相信，会以为我是个疯子。"

"别啰啰唆唆的，直说不就完了？你是谁？干吗找我？"

"说来也是……简单说来，我们的关系类似亲戚。"

"亲戚？别信口开河好不好？"拓实脱口而出，"我没有亲戚。沾点亲戚边的人倒是有，可从没听说有你这么一位。"

"所以我没说是亲戚，而是类似亲戚的关系，至少是有血缘关系。"

"血缘？"

"嗯。"时生点了点头。

拓实盯着时生的脸，又退后几步上下打量他。时生显得很不快，似乎在说："这是做什么？"

"哦，我懂了。是那个女人那边的吧？"

"哪个女人？"

"别装傻！估计又是带来了什么无聊的口信吧？原来那个女人果然另外生了孩子，真是逍遥快活啊。"

"等一等，像是有什么误会。"

"我不管是谁叫你来的，你去对她说，别来烦我了。"

拓实再次大步离开。这次不管对方再说什么，他也不停下了。

快要出花屋敷的时候，时生追了上来。

"等一等，你听我说啊。"他抓住拓实的袖子。

"你若不是那个女人那边的，我就听你说。好吧，你到底是谁？"

时生不知该怎么回答。

拓实见状轻轻地戳了一下他的胸脯。"你看，答不上来了吧？行了，你给我走开。"说完，他又走了。

可时生依然默不作声地在后面跟着。果然是有什么口信，拓实根本不想听。他早已拿定主意：这辈子和那女人再不相干。

出了花屋敷，在通往浅草的路旁有家陶瓷店。拓实在店门口站定。"好吧，你既然说我们有血缘关系，就拿出证据来。"

"证据……"果然，时生一脸困惑。

"把手伸出来，两只手。"

"这样？"时生在拓实面前伸出双手。

"不。不是手掌，是手背向上，两只都伸出来。你要是和我同一血统，手背上应该有些特征。"

"没听说过。"时生歪着脑袋，可还是照做了。

"这可是很重要的。"

拓实瞥了一眼陶瓷店门口，操起一只最大的盘子，上面标价三千元。

拓实将它搁在时生的手背上。时生脸上写满惊讶。

"要是和我同一血统，应该不会轻易打破东西。"

"啊，等一下……"

"再见了。"拓实扔下这句话，见时生动弹不得，便扬长而去。

进入浅草寺，他向二天门走去。尽管今天并非节假日，游客依然很多。几个中年妇女正以浅草神社为背景拍照。听到她们在用关西方言交谈，拓实便觉得不舒服。因为那个女人也是这么说话的。

"啊呀呀，长大了呀，五岁了吧？"

拓实至今还记得与那个女人初次见面时的情形。那是在一个放着佛龛的和室里。有重要客人来，父母都会在那里接待。

她穿着淡绯色的套装。一靠近，就能闻到一股甜丝丝的香水味。

当时自己做了、说了些什么，如今已全然忘却。两人单独待了很长一段时间，很久以后他才明白为什么要这样。

每过一两年，她就会来一次。每次来都给拓实带来点心和玩具，还都是些高档品。渐渐地，她的来访变成了拓实的一种心理负担。首先，她的态度就令他难以忍受。每次见面，她都会极动感情地抚摸他的全身，身上化妆品的气味也越来越刺鼻了。

令拓实烦恼的另一个理由，是那个女人每来一次，父母就要吵一次架，原因不得而知。母亲对她的来访总觉得不快，而父亲总是安慰、劝解母亲。可是，自从拓实上了初中，她就不来了。也不知是什么原因，或许是她察觉到自己不受欢迎，或许是父母不让她来了。

一直到高中入学考试前，拓实才知道她是谁。考试需要户籍副本，母亲去政府机构取回来后，对拓实说了些莫名其妙的话。"直接交给他们就行，你可不能打开看。"交给拓实的信封用糨糊粘得严严实实。

母亲的话引起了拓实的注意，他在递交申请的途中将信封打开了，于是看到了"养子"的字样。

4

出了二天门，拓实上了马道街，朝与车站相反的方向走去。过了言问街又走了一小段，他右转进了一条小巷。他住的公寓就是那一排矮小民居中的一栋二层楼，布满裂缝的外墙上挂着一架楼梯，扶手上锈迹斑斑，油漆已经脱落，像生了皮肤病一般。

正要上楼梯，拓实忽觉上面有人，抬头一看，便停下了脚步。中西正叉开双腿坐在楼梯的最上面，毫无品位的漆皮鞋的尖头清晰可见。中西俯视着他，流里流气地咧着嘴。

拓实当即右转，想迅速溜走，却来不及了。两个男人已站在他身后，他们都穿着便宜的西装，刚才还是和拓实一起做街头推销的同事。

拓实看看相反方向，那边也有两个男人挡住了去路。从着装上看，他们似乎也是中西的搭档。

四人只是紧盯着拓实，并不动手。可看来他们并非不想动手，而是在等指令。

中西站起身，走下楼梯。也不知道他想做给谁看，就像以前的黑帮片中的主角一样，双手插在裤兜里。没品位的皮鞋踩在楼梯上，发出哐哐的声响。

中西注视着拓实，与他面对面地站着。“刚才，多谢了。”

中西脸上挨揍的部位肿了起来。拓实觉得自己还没使出全力，可后果看来比想象中要严重，估计中西脸上的肌肉每动一下都会有异样的感觉。他的嘴角比以前歪得更厉害了，使他的脸愈发令人生厌。

拓实摸了摸脸颊。"疼吗？"

中西龇牙咧嘴地伸出左手，抓住拓实的衣领。"你回来得正好。整了人，以为就没事了？"

"这样吧，你还我一拳好了。"

"不用你说也要还你，还不止一拳呢。"

说完，中西挥起右拳。他动作不快，完全可以避开，可避开了这一拳，会使他更加恼火，得不偿失。但是，不能被打中鼻梁。拳头快碰上脸颊时，拓实稍稍侧了一下脸。于是，中西那没什么劲的拳头击中了他颧骨稍下的部位，力道不大，但还是有所冲击，拓实的耳朵里嗡地响了一声。

中西松开了手，拓实却并未因此获得解脱。不知何时，站在他背后的男子已经将他抓住。拓实试图挣扎，但对方的力气比他想象的要大得多，根本无法挣脱。他回头一看，见那两人正分别扭着他一条胳膊。

中西不知从哪儿找来一根四棱木条，像抡棒球棒一样抽向拓实的腹部，另几个人也过来踢他，一时间棒打脚踢如暴风骤雨般袭来。拓实将全身的力气都移到腹肌上，尽管如此，每挨几下总有一下震动内脏。除了疼痛，他还觉得胃里有什么东西在往上蹿，冰激凌的味道伴着一股酸味一起回到口中。他喊不出声音，呼吸也困难起来。渐渐地，他站不住了，一弯膝盖，扑通一声跪了下来。扭住拓实双臂的手松开了，他当即瘫倒在地。

五个人骂骂咧咧地继续殴打拓实。他抱住脑袋，将身体蜷成一团，宛如一块石头。

他听见有人在喊，不是那五个人的声音。与此同时，殴打停止了。又一声呼喊清晰地传入耳中："别打了！"

拓实依旧双手抱头，偷眼循声望去，看见那个古怪小子时生正朝这边跑来。真是个傻瓜，拓实想。

"你来干吗？"五人中的一个喝道。

"五对一，真不要脸！"时生怒喝道。他拿着什么。仔细一看，是一把不知从哪里捡来的破伞。

"小鬼，滚一边去，别多管闲事。"那人推了时生的胸脯一把。拓实心里也暗道：是啊，快滚一边去。

时生却不知出于何种考虑，竟举起破伞朝那人打去。那人轻而易举地躲开了，一记直拳砸在时生脸上。时生被打得向后飞去，跌坐在地。

中西走过去骑在他身上，一把掐住他尖尖的下颌。"哪儿来的？宫本的朋友？"

"不是"，拓实想这么说，可喉咙像被堵住了一样，出不了声。

时生自己回答了。"是亲戚。"

拓实不由得闭上了眼睛。真是多管闲事！

"哦，这么说，你也有连带责任啊。"中西狞笑道。

"放过他吧……"拓实拼命挤出一点声音，"他还是个孩子。"

身旁一人说了声"嚷嚷什么"，抬腿便踢。

拓实两手一挡，顺势站了起来，冲过去将中西从时生身上拖开。"我与这家伙毫无关系，不是亲戚，我根本不认识他。"

中西抖起肩膀，露出一脸嘲讽。"想保护他？你们这种愣头青，也配唱高调？"

拓实扭头对时生说："笨蛋，快跑！"

"我才不跑呢。"

"我叫你快跑！"

刚说到这里，拓实头上便被什么东西打了一下，在疼痛袭来之前，他先觉得神志开始模糊。他并没有马上昏厥，却扑到时生身上，尽力保护这个素不相识的青年免受连累。被打的时候他还在想，我怎么会这么做呢？这不符合我的一贯作风啊，我从来不管这种人的死活。

拓实醒来时，发现自己躺在地上，脸颊处还有与柏油路面接触的感觉。他睁开眼，朦胧的视野中有一件橙色短风衣。时生正伸开双腿靠墙坐着，头垂在胸前，披下的头发盖住了脸庞。

拓实站起身，觉得全身的关节都在响，脑袋昏沉沉的，全身都肿了起来，好像还在发烧。

他跟跟跄跄走近时生，抓住他的肩膀，边唤边摇了摇。时生的脑袋前后晃了晃。脑袋不再晃动时，时生睁开了眼睛。他右鼻孔流过血，但看起来伤得不太重。

拓实松了口气。"不要紧吧？"一开口，他嘴里立刻充满了血腥味。

时生望着拓实，眨了几下眼睛。看他的表情，像是还没回过神来。"啊……爸爸。"

"什么？"

"呃，不，拓实你没事吧？"估计他的嘴还张不开，声音小得仅可听清。

"亏你还问有没有事，你又何必来多管闲事呢！"

一个像是购物后回家的中年肥胖主妇露出一副很反感的样子看着他们，走了过去。拓实看着她快步走开后，问时生："能站起来吗？"

"大概可以。"时生龇着牙站起身，拍了拍臀部。拓实这才发觉身上的西装已经破烂不堪，从膝盖处擦破的地方可以看到血淋淋的伤口。

"先去一下我家吧。"

"在附近？"时生东张西望。

"就在上面。"拓实指了指锈迹斑斑的楼梯。

拓实刚打开每次开关总会卡住的房门，时生就小声地说了一句："好脏！"

"少啰唆！看不惯就别进来。"

拓实脱下旧皮鞋进了屋。只有一间不足三叠的厨房和一个六叠的和室，色情书和漫画扔得遍地都是，方便食品和点心的包装袋四下散落。看来有一阵子没清扫了，无论走到哪里，都会沙沙作响，腾起灰尘。壁橱塞满了破旧的东西，门半开着，露出了脏分分、又薄又硬的被子。房里有一股不知来自何处的腐臭味。拓实拉开从未洗过的窗帘，打开了窗户。

"随便找地方坐吧。"拓实说完便脱去上衣，在厨房的水龙头边洗脸。他嘴里火辣辣地疼。洗完，他就像一块破抹布一样，在厨房的地板上躺成了一个"大"字。他全身都疼，自己也不知道到底哪里伤得最重。

时生不知所措地在和室中央站了一会儿，随即像是下定决心似的坐在一堆《少年JUMP》杂志上。

"就住在这样的地方啊。"他好奇地看着四周。

"破破烂烂的，不好意思。"

"真脏，但还有点意思。"

"什么？"

"怎么说呢……原来你还住过这样的公寓。"时生那还沾着鼻血的脸上绽开笑容。

"可恶！什么叫住过？是正好好地住着呢。对了，你怎么会知道这个地方？一路跟我过来的？"拓实仍躺着问道。

"想跟来，后来跟丢了呗。我不是干那个了吗？"

好像是在说手背上放了个大盘子的事。拓实冷哼一声。"突然冒出来，还说是亲戚，你以为我会相信吗？"

"那倒也是，或许谁都会觉得奇怪。"

"那是自然。那么，你既然跟丢了，怎么又找到这里来了？"

"嗯，还依稀记得一些。"

"依稀记得？"

"以前你带我来过啊。好像是去浅草游玩回来的时候，我还在上小学。你说过，年轻时在这里住过。"

"谁说的？"

"谁……"时生欲言又止，随后又道，"是爸爸。"

"啊？"拓实的嘴张得老大，"就算你老爸在这里住过，和我又有什么关系？"

"这一带的年轻人住的地方，大致也差不多。"

"怕是碰巧了吧。"

"嗯，运气好呗。"

"好什么好？被人揍成这样还好啊？喂，身上有烟吗？"

"没有，我不抽烟。"

"哼，没用的家伙。"

拓实伸手拿过一个空可乐罐，倒过来，从开口处可以看见里边有不少烟蒂。他用手指挖出几个，挑了一个最长的叼在嘴上点燃。这烟蒂应该也是七星的，吸到嘴里却是另一股味。拓实想，这么难抽的烟还是头一次碰到，可他还是继续抽着。

"我也可以提问吗？"时生道。

"问什么？"

"刚才那一伙是什么人？"

"他们啊，是我的同事，今天上午还是。"

"什么工作？"

"下三烂的工作，太下三烂了，所以我不干了，还揍了他们，他们就来报复。不该在简历上写真实住址啊，随便乱写一个就好了。"拓实喷了一口烟。毕竟抽的是烟蒂，吐出来的烟也不是正经颜色。

"被揍了个稀里哗啦啊。"

"嗯。"

"为什么不还手呢？应该能抵挡一阵的，你不是练过拳击吗？"

拓实正要将烟蒂放到嘴边，这时却停下了手，瞥着时生。"听那个女人说的？"

"哪个女人？"

"少装傻！你以为我不知道吗？"

烟蒂已经短得夹不住了。他掐灭了，再找下一个。

他在拳击馆练习过半年，那是在上高中的时候。从棒球社退出后，他寻找着能令自己全身心投入的项目。然而，在领教了已经入门的家伙的厉害后，他大为惊叹，知道自己力有不逮，便放弃了。

"反击一下也好啊。"时生还在说。

"反击一下，他们就更火了，会还我十下。"

"爸……你也打不了五个人啊。"

"我可没那本事。就算我打倒了他们五人，下次就会有五十个来报复了。他们反正非揍我一顿不可，既然这样，不如让五个人揍一顿算了。"

"这样啊。"

"就是这样。不说这些了，你的事情我还没好好问呢。"

拓实正说到这里，门锁咔嚓一声被打开了，梳着马尾的千鹤走了进来。她穿着廉价的皮短裙，披着牛仔服。一看到躺在厨房地上的拓实，她那双大而圆的眼睛瞪得更大了。

"怎么，跟人打架了？"

"不是。是为了工作闹了点纠纷。"

"纠纷……"她还想说什么，忽见房间里还有一个陌生的年轻人，便将话咽了回去。时生对她点头致意，她也点了点头。

"他叫时生，刚才和我在一起，也挨揍了。"

"哎哟，真冤。"千鹤一脸歉意。

"千鹤，给根烟抽。"

"得先处理伤口啊。"她进了屋，蹲在拓实身旁，摸了一下他发肿的脸颊。

"疼……别摸，快拿根烟来。"

"抽烟对伤口不好。你等着，我去买药。有钱吗？"

拓实将手伸进裤兜。应该有几张千元钞的，可他的手指只碰到几个硬币。他皱起眉头，想起中西临走时说的话："都被你搅了，今天才没挣到钱，要你赔。"

拓实抽出手，摊开。

"只有三百二十元？"千鹤非常失望。

"对不起，药费你垫一下。"拓实边摸着她的大腿边说。

千鹤"啪"地打了一下他的手，站起身。"等着，我去去就来。"

"拜托。"

千鹤晃着马尾出去了。

拓实又点着一个烟蒂。房间里还残留着千鹤身上喷的便宜香水的气味。

"女朋友？"时生问道。

"嗯，"拓实答道，"很不错吧？"

"啊……嗯。"不知为何，时生面露困惑的神情，"但不会和她结婚吧？"

"为什么？不能跟她结婚吗？"

"不，也不是。"时生搔了搔头。

"我是准备娶她做老婆的。当然，现在还没有条件。"

"嗯，是吗？"时生垂下了头。

"怎么了？你灰心丧气的干吗？"

"没有，只是，这样好吗？"

"你凭什么这么说？怎么了？你对千鹤一见钟情，这么快就吃起醋来了？"

"怎么会呢！"

"那么，我要和谁结婚关你屁事？别瞎操心。"

"嗯，是不关我事。"时生双手抱膝，重新坐稳。

拓实仰起上身，忍着疼痛盘腿坐起来，伸手拿过一本《平凡PUNCH》翻看着美女图片。艾格尼丝·林①依然身穿泳装，露出晒得黝黑的肌肤。全脱了不好吗？拓实想，千鹤也不错，可要是胸有她的这么大就更好了。

早濑千鹤在锦系町的酒吧上班。拓实以前曾在那家酒吧对面的咖啡店里做侍应生，千鹤上班前常常去那儿喝杯咖啡。他们就在那儿认识了，很快打得火热。两人第一次做爱是第二次约会回来后，就在这个肮脏的屋子里。当时，由于被褥太薄了，做到一半时千鹤直叫背痛。从此，拓实便养成了在约会前晒被褥的习惯，但也没保持多久，因为后来改成在千鹤家碰面。

"我回来了。"门猛地打开，千鹤回到屋里。

---

① 20世纪70年代后半期在日本大受欢迎的美籍华人歌手、演员。

5

拓实脱去衣服，发现伤口比想象的多，而且每一条都很深。千鹤每碰一下伤口，拓实都要大声骂上几句。千鹤充耳不闻，手脚麻利地消毒、涂药、包上绷带，手法很熟练。时生问，是不是拓实经常受伤。

"倒也是，但你别看我现在这个样子，当初我可是立志做护士的，还上过护士学校呢。"

"是吗？"

"上是上了，可没多久就腻了，对吧？"拓实说。

"说什么呢！是家里没钱，供不起才退学的。"千鹤绷起了脸。

"如果真想当护士，半工半读也行啊。"

"你说得倒轻巧。"她说声"好"，宣布治疗完毕，在拓实的背上拍了一下，疼得他脸都歪了。

"你……是叫时生吧？你身上的伤也得治啊。"

"我就算了。"时生直摇手。

"让她看看吧，硬撑着伤口会化脓的。"拓实说。

时生显得有些动摇，随即朝千鹤点了点头。"那么就……"

时生脱下短风衣和 T 恤衫。他偏瘦，肌肉倒很结实，更引人注目的是晒得黑黑的肤色。

"晒得真黑啊，练游泳来着？"千鹤似乎也这么认为。

"嗯……算是吧。"时生偏着脑袋模棱两可地答道。

"咦？这可不是今天弄出来的伤吧？"千鹤指着他的侧腹说道。那里有一条十厘米长短的伤疤，像是被什么东西割伤的。

"啊？哪里？"时生看了一眼，道，"嗯，不像是今天的伤口。"

拓实也询问那伤疤的由来，时生只是扭了扭脖子，随口应了一声。

"怎么回事？这么长的伤疤你不记得？难道不是你身上的吗？"

"我和你一样，经常弄伤自己。"

"你也经常打架？"

"嗯，我倒没打过架。"说着，他又看了拓实一眼，笑道，"打了那么一架，还真是生来头一回啊。"

"那叫打架吗？那叫挨揍。"

"挨揍也是生来头一回。"

"你还笑？你没事吧？"拓实用手指在头上画了几圈。

"说老实话，我还真有点高兴。打来打去的，我还从没干过，早就想试试了。真令人兴奋。"看他的样子倒不像在开玩笑，双眼闪闪发光。

"哦，娇生惯养长大的吧？"拓实挖苦道。

"什么娇生惯养……我可没那种好身体。"

"身体哪儿不好？现在不是挺健康的吗？"千鹤睁圆了眼睛问道。

"嗯，这身体看上去是很健康。"时生摸了摸自己的胳膊，就像在试一件新衣服的手感。

千鹤也细心地在时生的伤口上贴好胶带，裹上纱布。拓实看着他们俩，又去打开千鹤的手袋找烟。里面只有一盒艾古牌香烟。她很节俭，只买这个便宜牌子。

"拓实，你说是因工作上的事闹纠纷，就是那份拉人的工作吗？"千鹤边往时生的手腕上缠绷带边问道。

"是啊。"

"看来你又不干了？"

"嗯。"

"哼，又没做长啊。"千鹤露出失望的神色。拓实自然懂得这种神色的含义。

"反正那种拉人推销的活儿也不可能干一辈子，只是零工罢了。我可不想憋着火干下去。"

"不是说推销业绩好，就能转到管理层吗？"

"那明摆着是骗人的。推销干再久也是推销。"

"可不管什么工作，总比什么也不干强啊。整天闲逛，可没人送钱来。"

"谁闲逛了？明天我就去找工作，真的。"

或许千鹤觉得他又来老一套了，便叹了口气，什么也没说。

千鹤的治疗像是结束了。时生说了声"谢谢"，她嫣然一笑，说："多保重。"

"伤口一弄好，不知怎么肚子就饿起来了，千鹤快做点吃的吧。"

"做吃的，做吃的，有什么东西可做？"

"去买些来啊。"

"钱呢？"

"三百二十元。"

"够买什么？"千鹤将烟盒塞进手袋，"再说我也得去上班了，迟到了要扣工资。"

"怎么，叫我把嘴挂起来吗？"

"我这么说了吗？到底是谁的错？随随便便就把工作丢了，谁不是在耐着性子干活啊？我不也净遇上些烦人的事吗？"

"既然烦，不干不就完了？"

"我可不成，还不想饿死在路旁。"

"哪能就饿死呢？你看好了，只要我一下子发了财，保证让你享福。我要干就干大事，赚大钱。"

千鹤仔细端详着他的脸，慢慢摇了摇头，默默地从手袋中取出钱包，抽出一张千元钞放在《漫画色图》上。

拓实刚想说"谁要这个"，可话到嘴边又咽了下去。"不好意思，很快就还你。"

千鹤苦笑一下，叹了口气。"时生，你老跟着他不会有出息的，还是趁早找别的朋友为好。"

时生没有回答，将手伸向那张钞票，双手拈起，仔细看了看，喃喃道："是伊藤博文啊。"①

"你不会没见过这玩意儿吧？"拓实一把夺过钞票。

"拓实，那件事你打算怎么办？"千鹤问道。

"什么？"

"你妈那里不去好吗？"

"我不是说过了吗？那人不是我妈。"拓实又望向时生，说道："你回去对她说，叫她以后别管我了。"

时生听了直眨眼睛，像没听懂，嘴巴也半张着。

"时生，你不是拓实哥的朋友吗？"

"是那个女人派来的奸细，对吧？"

"刚才我就问过，那个女人到底是谁呀？"时生问道。

"装什么傻？那个女人就是那个女人呗，除了那个姓东条的老太婆还能有谁？"

时生的表情发生了变化，像是明白了什么。他深深地吸了一口气。

<hr>

① 1963 年发行的一千日元纸币上的头像是伊藤博文，1984 年换成夏目漱石，2004 年换成生物学家野口英世。

"东条奶奶？爱知县的？"

"你终于坦白了。"拓实转向时生，重新盘腿坐好，"快说，你是她什么人？依我看，大概是她儿子。"

"儿子？这么说，是拓实哥的弟弟？"千鹤交替看着他俩，"一点也不像啊。"

"才不是呢。"时生看着拓实，摇了摇头，"我不是东条奶……那人的儿子。"

"那你是谁的儿子？和那个女人到底是什么关系？你从哪儿来？想回哪儿去？"拓实连珠炮似的提出一连串问题。

时生看看拓实，又看看千鹤，然后又将视线落到拓实的脸上，下颌抖动起来。这家伙怎么回事？拓实刚这样想时，时生开口了。

"我……孤身一人。"

"啊？"

"孤身一人，没地方可去，也没地方可回，谁的儿子都不是。我……我的父母不在这个世界，已经再也见不到他们了。"时生说着，眼泪突然夺眶而出。

6

拓实和千鹤一起走出了公寓。千鹤说，让时生一个人待会儿。拓实不知道这么做有什么意义，但也觉得，他现在这个样子，的确不能随随便便跟他说些什么。

"那家伙也不知是什么毛病，好好说着话，一下子就哭起来了。"拓实一面走，一面用大拇指指了指身后的公寓。

"各人都有烦恼嘛，和拓实哥你一样呗。"

"看来是这么回事，可他什么也不说，别人怎么知道！"

"我的父母不在这个世界"，时生刚才这样说，估计是说，父母早就过世了，自己孤身一人。拓实想，千鹤说他和自己一样，其实不太一样啊。

说也奇怪，时生曾说他和拓实的关系有点像亲戚。既然两人都是天涯孤客，又怎么会是亲戚呢？

拓实与要去车站的千鹤分手后，走进了一家经常光顾的面馆。这家店只在靠柜台处有一排座位，菜单上也只有面条和饺子。东西不怎么好吃，唯一的优点就是便宜。拓实要了面条、饺子和米饭，又去自助饮水处倒了一杯水。

他养父最爱吃饺子，说只要有饺子和啤酒就别无他求，常常一个人要好多盘。养母见他这样，总要皱起眉头唠叨几句：吃这么多会留下气味，客人不是要受罪吗？喝得脸红彤彤的养父总会摇摇手说，不妨事，睡觉前多喝些牛奶就行。

拓实也照此试过几次，觉得喝牛奶并不管用。事实上，养父吃过饺子后，也总是带着满嘴大蒜味去上工的。

现在想来，拓实觉得养父的客人真是倒霉。当时，养父正开着私人出租车。

宫本夫妇没有孩子。检查结果表明，似乎是男方有问题。这一现实使夫妇俩非常失望，因为两人都非常喜欢孩子。他们结婚时就租了一幢独门独院的房子，不愿住公寓楼，就是考虑到婚后有了孩子，可以在院子里玩耍。

夫妇俩并未因此意气消沉。他们决定两个人恩恩爱爱地过下去，还互相安慰道，没孩子但过得很幸福的夫妻不也有很多吗？

然而，他们没有完全死心，总觉得有种缺憾。

自己的骨血无法留在这个世界上了，但还是希望有机会完成养育一个人这样的伟业。

结婚十周年纪念日，一位亲戚打来了一个影响他们命运的电话，问他们想不想领养一个孩子。有个住在大阪的未婚姑娘怀孕了，不知道孩子的父亲是谁。当然，她本人应该知道，但抵死不说，逼得急了就回答，反正不会回来了，还说他干吗？那姑娘的母亲推想，女儿准是被哪个坏蛋骗了，就要她去堕胎，可女儿坚决不肯。就这样，孩子在肚子里一点点长大，渐渐地"堕胎"这个词也没法说了，因为要将已完全成形的孩子杀死太过残忍，况且孕妇也会有生命危险。事已至此，只好让孩子出生。

那姑娘的母亲思来想去，最后想送给没有孩子的夫妻做养子，可一下子找不到这样的人家。于是她与熟人商量，几经周折找到了打电话给宫本夫妇的那个人。

面对这件突如其来的事情，夫妇俩一时间有点不知所措，但还是反复商议。此前并非没想过收养义子的事，只是在没有具体对象的情况下来讨论，总缺乏真实感。他们从这时起才开始认真商议此事。

希望有个孩子的想法没有改变。虽说是抚养别人的孩子，可养育的喜悦之情完全相同，只是担忧以后会一直放心不下。那孩子的血统到底是怎样的呢？

于是，夫妇俩向中间人提出了一个方案：是否可以等看过孩子再作决定？他们想知道自己看到初生的婴儿时，会不会有养育的冲动。想出这个方案的似乎是妻子。

中间人向姑娘的母亲转达后，对方同意了。

约两个月后，孩子出生了。听说是个男孩，宫本夫妇非常高兴。他们一直都更希望要个男孩。

其实，这两个月，宫本夫妇是在惴惴不安的等待中度过的。虽然声称要等看到了孩子再作决定，实际上夫妇俩早就在脑海中描绘开了新的家庭生活图景。其实尚未看到孩子，他们就有了决定。

可上天毫不理会夫妇俩迫不及待想看到孩子的心情，没有轻易给他们见面的机会。不久，中间人带来了令他们大为吃惊的消息：那姑娘分娩后，不肯将儿子送给别人做养子了。

这是背信弃义！宫本夫妇勃然大怒，宫本太太更是乱了方寸。也难怪，想了那么久的孩子眼看就要来临，到头来却落了空，着实令人无法忍受。但是，他们也没愚蠢到意气用事地对中间人乱发脾气。渐渐冷静下来后，他们觉得不能怪谁。亲生的孩子不愿意送给别人天经地义，由母亲亲自养大孩子自然再好不过。

于是，宫本夫妇与那孩子并未得见。

然而，约过了一年，那个亲戚又打来电话，询问是否仍想要那个孩子。

　　用遭遇晴天霹雳来形容夫妇俩的感受大概也不为过，但他们还是很理智地了解了事情的原委。听中间人说，那姑娘想靠一己之力养大这个孩子，可她本来就体弱多病，边照顾孩子边工作实在无法支撑，结果只靠她母亲在家做些代工勉强度日。一家人无法过上正常的生活，长此以往，孩子或许就会营养不良。无奈之下，那姑娘已经同意将儿子送给别人。

　　就在樱花从九州开始逐渐向北盛放的某一天，宫本夫妇去了大阪。他们被带到一个有一排小房子的地方，那儿若称为住家也太过寒酸了。在其中的一间小屋里，居住着那对母女，还有小男孩儿。姑娘当时十八岁，瘦得皮包骨头，脸色也很难看，说是初中毕业后就一直在纺织厂工作，后来因为身体虚弱被解雇了。母亲个子瘦小，应该只有四十五六岁，可一脸皱纹，看上去像个老太婆。

　　孩子躺在潮湿的榻榻米上，小小的，根本不像已经一岁的模样，动作也很迟钝。看着他肋骨凸显的身体和细细的四肢慢慢挥动的样子，宫本太太不由联想到羸弱的昆虫。

　　姑娘的母亲毕恭毕敬地跪坐着低下头，说了声"拜托了"，姑娘也在一旁伏在地上，一动不动。两人身上都罩着满是蛀洞的毛衣。

　　宫本太太将孩子抱起来，只觉得出奇地轻。她将孩子放在膝盖上，看着他的脸。或许是太瘦的缘故，孩子的眼睛显得很大，也正看着她。孩子脸色不好，眼睛却生得晶莹剔透，似乎要对她诉说些什么。

　　妻子看了看在一旁静观的丈夫。两人四目相对，微微点了点头。这就是夫妇俩最后的决定。

　　他们要带着孩子回去。那姑娘早已死心，没有阻拦。夫妇俩还和姑娘的母亲谈了很多，但谈了些什么，后来他们都忘却了，只记得他们抱着孩子离开时那姑娘的模样。她端坐着双手合十，咬着指尖。这个姿势一直到最后都没有改变。

当时还没有新干线，宫本夫妇乘夜车返回东京，花了十多个小时，可宫本太太抱着孩子，竟然忘了时间的流逝。其他乘客见有孩子，都对他们特别照顾，令夫妇俩欣喜不已。

就这样，拓实成了宫本家的孩子。

喝干了面汤，拓实正要起身，墙上贴着的一张纸吸引了他。上面写着："把饺子带回家。"

他盘算着已花掉的饭钱和口袋中剩下的钱。他来这里前已经买了一包艾古。

"老板，两份饺子打包。"

正在为别的客人下面的店主沉默着点了点头。拓实取出烟盒，撕开锡纸，抽出一支，伸手取过柜台上的大盒火柴点燃。他抬头看着烟升向满是油污的天花板，喝了一口水。

在高中入学考试前几天的一个晚上，拓实听父母讲起了自己的身世，或许应说是在他的要求下。看了户籍副本后，他就一直为何时开口询问而犯愁。最后他豁出去开了口，并不是下了多大的决心，而是实在耐不住了。

养母见儿子有些反常，就猜到他可能看了户籍副本。所以当他问起时，夫妇俩并没有显得狼狈不堪。他们早已明白这一天终将到来。

大部分事情是养父说的。养母达子只是插了几句嘴，给养父的记忆作了点补充。她始终低着头，不与拓实对视。

这事说来不怎么动听，拓实当时只觉得，啊，看来这个人真不是自己的生身母亲。

听完长长的讲述，拓实并没有多少切身感觉，好像只是作为局外人，听了一出连续剧的故事情节，既没感到刺激，也没觉得悲伤。养父母默不作声，似乎在等着他悲愤地宣泄情感，他却根本不知道这种场合下应该说些什么。

"事情就是这样。"养父邦夫道，"爸爸妈妈和你没有血缘关系，但也仅此而已。我们从未把你当成别人的孩子，一次也没有，今后也不会改变。所以，你不必将这件事放在心上。"

"是啊，拓实，和以前一样就行了，妈妈有时甚至觉得真给你喂过奶似的。"

两位对己有恩的人已把话说到这个份儿上，拓实夫复何言呢？即便他们不这么说，拓实也想不出还有他途可走。

"真正的妈妈……就是那个人吗？"他低着头问道，"那个……前几年来过几次、操大阪腔的人？"

养父顿了一会儿，答道："是的。现在她已经结婚，名叫东条须美子。她本姓麻冈。"

拓实问怎么写，养父就用圆珠笔在报纸广告的背后写下这几个字。

原来我的本名是麻冈拓实啊，他想道。

养父说，将儿子送走三年后，麻冈须美子嫁给了爱知县的一个姓东条的糕点店老板。这是她后来写信告诉宫本夫妇的。至于她是怎么嫁过去的、对方是个怎样的人，信上都没写，只说很惦记拓实，想见上一面。从信中可以感觉到，她的愿望十分强烈。

之前并未与她联系过的宫本夫妇回了信，对她表达祝福，称拓实很健康，要她不用担心。

不久，她又来信了，这回明确地询问能否见见拓实，好像这就是她写信的目的。宫本夫妇开始商量。邦夫不太情愿，达子亦然。一家三口已经亲密无间，突然叫儿子去和一个素不相识的女人见面，他也会不知所措。宫本达子还有一份担心——结了婚、过上了安定生活的生母，会不会提出要将孩子接回去？

尽管如此，他们也不想拒人于千里之外。思来想去，邦夫最后在回信中用了"如果正巧有机会……"这样含糊不清的表达，想糊弄过去。

须美子却真的按字面去理解了。或者，她看懂了这句话的含义，却佯作不知。于是，在拓实五岁生日后不久，东条须美子突然造访了宫本家。

从前那个寒酸的姑娘已经变成一位稳重大方的少妇。她仍然很瘦，但身段已经显出女性的圆润，妆化得很有品位，身上的绯色套装也不像是便宜货。

这一天，正好宫本夫妇都在家。须美子在他们面前低着头恳求道："请让我见见拓实吧。"说着，眼泪就扑簌簌掉了下来，看上去不像在演戏。

当时，从爱知县来东京，无论从精神上还是身体上来说，都是件令人相当劳累的事情，更何况她来到东京也不知能否达到目的。

宫本夫妇决定让她见见拓实，但提出两个条件：一是绝对不能透露自己是拓实的生母，二是不能在拓实面前哭泣。须美子一口答应，表示绝不违背承诺。

尽管心里有些忐忑不安，宫本夫妇还是让她和拓实单独见了面。这与其说是照顾她的心情，倒不如说是为了自己。他们担心看到这对分别数年的母子见面，自己的内心会动摇。

亲眼看到健康成长的拓实后，须美子再次向宫本夫妇深深低头行礼。她两眼充血，似乎立刻就要潸然泪下，可直到最后都没有哭出来。她严格地遵守了承诺，因为她回去后，拓实还问："那个阿姨是谁啊？"

从此，正如拓实记得的那样，每隔一到两年，须美子都要来宫本家拜访一次。渐渐长大后，拓实开始疑惑，为什么那个女人时不时会来？为什么一来就让他们俩单独见面？同时，宫本夫妇也注意到须美子开始现出一种执着的眼神。

达子说，叫她别来了吧，但邦夫劝解道，事到如今，哪能叫她不来呢！

这个问题不久就解决了——须美子不再来了。

当时，从养父母那里得知真相的拓实，对须美子并没有产生什么特殊的感情。时不时要来的特别的阿姨，这样的记忆是有的，但在精神上仍觉得她是不相干的外人，至少没想和她见面。那样的麻烦事已经受够了，他的印象只是这样。

虽说刚得知令人震惊的事情，拓实还是顺利通过了入学考试。上高中后，他加入了棒球社。父母在告诉他真相后似乎也没什么改变。养父仍以开出租车为生，每天都工作到很晚。养母为了拓实的成长，净给他做营养丰富的饭菜。

然而，变化的确还是降临了。<u>一家人如铁链般连在一起的心，渐渐地开始脱钩。</u>

7

出了面馆，拓实到经常光顾的超市转了转。将打折的卫生纸拿到付款台后，拓实问面熟的女店员："那个东西，有吗？"

约莫三十五六岁的胖胖的女店员微笑着点了点头："有啊。"说着，她从收款台后一个长长的塑料袋里拿出东西。

"老是麻烦你，真不好意思。"

"没关系，反正是要扔掉的。"

拓实右手提着卫生纸和塑料袋，左手拿着打包的饺子，回到家中。

时生已在壁橱前睡着了。也许是太累了，他鼻息很重，几乎是在打呼噜。拓实放下手里的东西，打开了那台十四英寸电视机。这是从朋友那里拿来的旧电视，打开开关后还要过一段时间才出图像。他叼上一支艾古，点上了火。

图像终于出来了，是一个著名主持人率队探险的节目。这是个每隔一两月播放一次的特别节目。这支探险队深入非洲腹地和南美洲的热带雨林，每次总有重大发现或遇上一些刺激场面。这次的舞台似乎换到了海上，探险队员都上了船。从故弄玄虚的解说词中可以听出，这次他们要找一条大鲨鱼。到现在还在搞《大白鲨》的噱头啊！拓实苦笑了一下。史蒂芬·斯皮尔伯格的电影大红大紫，已经是四年前的事了。

拓实抽着烟看了看时生。电视的音量不算小，他仍没一点要醒的样子。拓实站起身，走过去打开壁橱。最上面有一条脏兮兮的毯子。他将毯子拖出来，盖到时生身上。他想到，自己还从未为外人做过这样的事呢。他一贯的态度是，和自己没关系的人，随他感冒也好，受伤也好，都无关紧要。

反正，大家都是外人——变了声调的怒吼声又在拓实耳边响起。那是养父的吼声。

真相公开后，亲子关系在一种微妙的平衡下维持着。儿子对养父母很在意，养父母对养子的精神状态也很关切。可以说，在"必须和以往一样自然相处"的使命感的感召下，一家人成功地过着走钢丝般的生活。气氛有些不自然，但大家都认为只要维持下去，或许就能发展为一种良好的关系。然而，裂痕在意想不到的地方产生了。

拓实刚上高二不久，养父出轨的事败露了。拓实不清楚养母是怎么知道此事的，只是有一天放学回家，他看见养母正披头散发地哭喊，旁边坐着脸色难看的养父，他的衬衫袖子被扯破了。

养父母和孩子之间在生活中相互关照，但夫妻之间并没有这样的关照。甚至可以说，笼罩着整个家庭的精神负担，最后都集中到夫妻关系上了。养父明显是在避免和拓实照面，对他来说，家已变成一个令人心情郁结的地方。于是，他开始寻找能使他愉快的所在。

家里的气氛冷到了极点，大家已无心顾及彼此的感受。然而，这又引起了恶性循环，养父出了事故，撞伤了人。

虽说他不必负全责，也不会因此吃官司，但出租车暂时不能开了。除驾驶外一无所长的养父，从此就整天待在家里。妻子埋怨他：一心都在那女人身上，才会在至关重要的工作中闹出这样的事故。

邦夫无言以对，便用喝酒来逃避现实。他喝得越来越凶，喝醉的情况多了，言语间也粗暴起来。

尽管经常喝醉，邦夫心中也总有一个疑问：自己没了收入，可妻子似乎并不觉得太窘迫。自己家里有没有存款，他还是清楚的。

有一次，他盯了妻子的梢，因为觉得她出门时神情有点古怪。妻子去了银行，而且是家本该与宫本家并无关联的银行。

妻子从银行出来后，他强行抢下她的手提包，发现里面有多张万元钞和一个存折，上面显示每月都有一笔固定的金额进账。

汇款人是东条须美子。原来，她为了表示对宫本夫妇抚养孩子的感谢，一直汇钱来。知情者只有达子，她刻意对丈夫隐瞒了此事。

邦夫暴跳如雷，认为妻子独自用去了所有的钱。妻子予以否认，声称为防万一，一直存着这笔钱，并且只想用在拓实身上。可看看存折就知道，钱不时地被取出过。

存折上剩下的钱，之前达子用掉的钱，今后将汇入的钱——二人为此一连争吵了多天，十多年前那对坐夜车去大阪接孩子的恩爱夫妻的模样已经荡然无存。

"反正，大家都是外人。"

吵到最后，邦夫迸出了这么一句。当时，他已经喝了很多酒。这句话出口的同时，他还向妻子扬起了手。拓实第一次看见养父对养母施加暴力。

不能再待在这个家里了——这就是拓实当时的想法。

突然，时生翻身坐起。因为没有任何先兆，拓实很狼狈。"怎么？你醒着吗？"

"刚醒。"时生睁大眼睛看了看四周，"啊，这里就是你的住处。"

"是啊。"

"今年是一九……七九年？"

"还用问？你的脑袋被打坏了吧。"

"没，没什么，核实一下而已。"时生动了动鼻翼，"有饺子味儿。"

"猜对了。我想你大概也饿了，给你买的。"拓实拿过饺子，放在时生面前。

"哦，大概你也知道，我最喜欢吃饺子了。"

"你喜欢吃什么，我怎么会知道？嗯，你喜欢，说明我买对了。"

"你吃过了？"

"嗯。"

"在那家只有面条和饺子的店买的？"

"你知道那家店？"

"没去过。"时生轻轻耸了耸肩，"听说过。"

"哦，那么个破店，居然也有人说起。"

时生打开包装，用一次性筷子吃起来，还不住地点头。

"好吃吗？"拓实问道。

"好吃不好吃的，反正和听说的一样。"

"你听人家怎么说的？"

"味道说不上好坏，但一吃起来就停不下来。"

"哈哈，"拓实笑起来，点上了已不知是第几根的香烟，"就是这么回事。谁说的？和我想的完全一样。"

"我父亲。他说年轻时住在这一带，常去那家面馆。"

"那店以前就有吗？我倒不知道。"

"要去就现在多去几次，再过七八年店就没了。"

"没了？会倒闭？"

"拆迁，要在那儿盖大楼。"时生舔了舔嘴唇，更正道，"好像要在那儿盖大楼。这一带肯定会变样的。"

"这一带还有什么好变？不过，万一那家店真没了，还真受不了。等拆迁通知下来，我叫老板顶住别搬。"

"顶不住的，会有榨地虫来逼。"

"榨地虫？什么玩意儿？"

"啊，没什么……"时生摇摇头，将视线转向别处，"那是什么？"他看着拓实从超市拿回的塑料袋。

拓实诡笑着将袋子拖了过来。"这是我的好伙伴。"他轻拍两下。

"像是面包。"

"是面包，但和一般的不一样。面包切片时，最外面的皮卖不出去，这里装的就是面包皮，有三十片呢，不要钱。"

时生一听就双眼放光。"穷人的比萨！"

"咦？"

"在那上面涂些番茄酱，放在烤面包机中一烤，穷人的比萨就做好了。"

拓实站起身。他不想对时生的话一笑了之，而是走到时生面前蹲了下来。"你听谁说的？"

"没有谁，谣传嘛。"

"哪有这种谣传？我就是这么吃的，再没第二个人知道。这种寒酸吃法是不会对别人说的，你却知道。快说！怎么回事？"

时生脸上的笑容消失了，直直地看着拓实的眼睛。拓实正面对着他。

"是听父亲……说的。"时生道，"我父亲也是这么吃的，这可不是你的独创，面包和番茄酱，早就有了。"

"也管这叫比萨吗？"

"好像是的，大家想到一块儿去了。"

"嗯……好吧，再回答我一个问题。"拓实一把揪住时生的头发，用力往上一提，"这个'父亲'是谁？说名字！"

8

"哎哟，痛！"

"当然痛了，要我放手就快回答！"

"我说。快放手！"

"你先说，父亲的名字是什么？"拓实又用力揪了一下，时生的脸都扭曲了。

"木拓……"

"什么？"

"木村拓哉。木村就是那个木村，拓是拓实的拓，哉嘛，是志贺直哉的哉。简称木拓。"

"为什么要简称？"

"不知道，或许是这样叫起来方便。"

"嗯。"拓实放开了手，"慢着，你不是说和我一样也姓宫本吗？怎么你父亲变成木村了？"

"我本来叫木村时生，但我想叫宫本时生。这其中有很多内情。"

"看来也是。"拓实在时生面前盘腿坐下，"刚才你突然哭了，我没有问下去。这次哭也不管用了。快，把事情说清楚。"

时生好像觉得刚才在人前哭鼻子很难为情，他用手理了理头发，嘟囔道:"是有点出洋相了。"

"你父母不在了?"

"嗯,是。"时生点点头,"不在这个世界里,再也见不到了。"

"别用这种古怪腔调说话。是死了,对吧?"

"这个,"时生稍稍顿了顿,说道,"是啊,去世了。生病。"

"谁?"

"啊?"

"到底是你父亲还是母亲生病死了?总不会一起死了吧?"

"嗯,不是一起死的,可也差不多,相继而亡。"

"哦?这真是不幸啊。"

"他们也不是我真正的父母。"

"啊?真的?"

"我好像是个孤儿,他们收留了我,将我养大。"

"哦。"拓实端详着时生的脸,"真巧啊,和我一样。"

"嗯,我知道。你本名叫麻冈拓实,生母是东条须美子,对吧?"

拓实盘着腿挺直了脊背,又起双手。"就是这里让人别扭——为什么我的事情你全知道?"

"我父亲临死时对我说,这世上只有一个人与我有血缘关系,叫宫本拓实。他还说了很多宫本拓实的事情,身世、经历什么的。"

"你父亲又怎么会知道我的事?"

"这我就不知道了,估计他调查了很多年。"

"什么目的?"

"这个,我父亲只说:'我死后你就去找宫本拓实吧。'"

"找到了又怎样?"

"他没说,只说:'见了面,你自然会知道该怎么办。'他说完就去世了。"

拓实将双手在胸前交叉，紧盯着时生。从时生的眼神看，他倒不像在撒谎，但他的话太不着边际，令人一时无法相信。

"我们有血缘关系？"

"嗯。"

"什么样的？这话说来没劲，和我有血缘关系的只有那个姓东条的老太婆了。难道你与她也有血缘关系？"

"虽不能肯定，但我想不是这么回事。我父亲说过，这世上与我有血缘关系的人只有一个。如果加上东条，不就有两个了？"

"这倒也是，但你父亲说的也不见得都是真话。"

"嗯。"时生垂下眼帘。

拓实不知道该不该相信时生。听说陌生的地方有人在调查自己，他觉得不是滋味。突然冒出一个素昧平生的青年，说和自己有血缘关系，也令他摸不着头脑，甚至怀疑这是个圈套。可看看时生，又多少有点亲切的感觉，至少可以认为他对自己并未抱有什么恶意。

"你现在干什么？上学？"

"啊，不。算是灵活工作吧。"

"灵活工作？那是什么玩意儿，没听说有这种工作啊。"

"不是工作的名称，就是不断换地方、打零工的意思，以前叫自由职业者。不知道吗？"

"不知道。"

"哦……也难说。"

"不就是无业人员吗？"

"嗯，简单来说……"

"无业就无业呗，还拐弯抹角地装什么蒜？哼，年纪轻轻就是个无业游民啊。"说着，拓实忽然想起了什么，搔了搔头，"我现在也没资格说别人。"

"听千鹤说，你好像在不停地换工作？"

"不是我要换，怎么说呢，是找不到适合我的工作。总有能使我发奋努力的工作吧。"

"快要找到了，肯定。"时生充满信心地点了点头。

"真是这样就好了。"拓实擦了擦人中，感觉还不错。每当他说起对工作的考虑，谁都批评他太过乐观了，若抱着这种观念，什么工作都做不长久。"本就没有什么适合自己的工作"，"要改变自己，去适应工作"——听到的都是这些话，就连千鹤也在用轻蔑的目光看着他。时生是第一个肯定他的想法的人。

"你家在哪里？"

"吉祥寺……以前。"

"什么意思？"

"曾经在那儿住过，直到父母去世为止。"

"现在呢？"

时生摇了摇脑袋。"现在没有家。"

"那你之前都睡在哪里？"

"各种各样的地方，车站候车室、公园之类的。"

"闹了半天，你既没工作又没住所。比我还要差劲啊。"

"哈哈，也可以这么说吧。"

"有什么好笑？嘿！既然是有血缘关系，你要是哪儿的阔少该多好啊！"

"不好意思。"时生低下头，肚子咕咕叫了。

"不仅像四处流浪的寅次郎，还是个不带饭上学的穷小子。看来光靠那点饺子是喂不饱你的。"拓实露出无可奈何的表情，"可的确没别的东西可吃。想来你也知道，我没钱，你有吗？"

时生伸手在牛仔裤口袋里摸了摸，掏出一个布质钱包。他将钱包倒过来，抖了一下，掉出四个一百元硬币和五个十元硬币。"还有这么多哪！"

"不就四百五十元吗，充什么阔？好吧，暂且由我来保管。"

"啊？为什么？"

"你没地方住，对吧？反正今晚也只有这里可睡，拿你一点房钱不应该吗？"

时生撇起了嘴。"那就给我吃一些。"他指指那个装着面包皮的袋子，"穷人的比萨，早就想尝尝了。"

"话说在前头，你讲的，我可没有全当真。"拓实一面从烤面包机中取出穷人的比萨，一面说。

"真香啊。"时生吸了吸鼻子。

"你说的话，紧要的地方都是漏洞。我和你到底是怎样的血缘关系不清楚，还有，你老爸临死前为什么要说那些话也不清楚，让人越想越奇怪。"

"我希望你相信。"

"要是你没乱讲，那就是你老爸在胡说八道。到底为什么要这样，叫人摸不着头脑——好，比萨出炉了。"

拓实将一个脏兮兮的盘子放到时生面前。

"不客气了。"时生说了一声就大嚼起来。

"好吃。有点像比萨，又不太像，但味道不错。"他眼睛睁得老大。

"喜欢吃就吃吧。面包皮有的是，番茄酱可别浪费哦。"拓实边抽艾古边看时生。有血缘关系——或许是听了这句话的缘故，拓实总觉得他不像个陌生人。

时生忽然停了下来，眼睛盯住了电视机。"粉红佳人"（Pink Lady）二人组合正载歌载舞地表演，唱的是《粉红台风》。

"是粉红佳人啊………"时生嘟囔道。

"有什么大惊小怪的？"

"真年轻，她们也这么年轻过啊。"

"胡说些什么？她们不就仗着年轻吗？"

"这曲子好像在哪儿听过。"他想了一下说，"对了，是村民组合的《在海军中》。啊，原来有日语版。"

"西城秀树的《青春赞歌》①一炮打响，她们就依样画葫芦，靠《UFO》一举夺得大奖，现在正春风得意呢。"

"根据我的记忆……"时生摇摇头又说，"根据我的推想，粉红佳人不久就要散伙了。"

"说真吗？糖果乐队刚散伙啊。"

"说真？"

"就是'说的是真话'的意思，听不懂？"

"不，听得懂，没想到你也这么说过。"时生眨了眨眼睛。

"莫名其妙的家伙。"拓实伸手关了电视机。

时生吃完涂上番茄酱的面包皮，拍了拍手。"对了，千鹤刚才说的是什么意思？"

"什么？"

"她说'你妈那里不去好吗'，大概是说东条女士那儿吧。"

"哦，这个啊。"

拓实掐灭了烟蒂。他有些踌躇：到底该不该跟时生说？如果时生是个毫不相干的人，就没必要了。

他站起身，从放在冰箱上的信件中抽出一封。"并不是我相信你刚才的话，可还是让你看看吧。"

"可以……读一下？"

---

① 村民组合（VillagePeople）最著名歌曲《Y.M.C.A》的日语版。

"嗯，读吧。"

时生首先看了看信封背面，确认一下寄信人。①

"东条淳子，谁啊？是东条家的人，这我知道。"

"是那人的女儿，不是亲生的。她做了后妈。"

"哦，听说过。"

"听木拓说的？"

"嗯。"时生抽出了信纸。

信的内容就是要拓实无论如何去一趟。东条须美子已经卧床不起，治愈的可能性极小。她一直想见儿子最后一面，请让她得遂心愿。

时生读完信，用犹豫的口吻问道："置之不理吗？"

"不会连你也命令我去吧？"

"当然不会命令，但你还是去一趟为好。"

"为什么？"

"不为什么，你不觉得她太可怜吗？"

"可怜？谁？那个女人？你没听你老爸说过，我是怎么被扔掉的吗？就像小猫、小狗一样，因为养起来麻烦就被送了人。那种女人，我为什么非要觉得她可怜呢？"

"你的心情可以理解。"时生又将目光落到信纸上，"信上可写着路费及其他费用由他们来承担呢。"

"这不是什么钱的问题。"拓实从他手中一把夺过信，放回冰箱顶上。

---

① 日本人在信封的正面写收信人的姓名、地址，背面写寄信人的姓名、地址。

9

睁开眼睛后，隐隐觉得屋里有股焦糊味，拓实揉着眼睛坐起身来，发现铺着毯子睡在厨房的时生不见了。窗帘大开着，强烈的阳光一直晒到榻榻米上。

他看了一眼那只每天都要差五分钟的闹钟，已过了上午十一点。

他将硬邦邦的被子塞回壁橱。昨天的伤仍然作痛。他走到洗脸池前，提心吊胆地看了看镜子，脸似乎不那么肿了，但开始发青。

面包皮少了很多，应该是时生吃掉的。他怀着不祥的预感打开冰箱，果然，番茄酱的数量骤减。浑蛋！不是跟他说了要节省一点吗？

他伸手取过那盒艾古，刚要抽出一支，发现盒子上面有圆珠笔的字迹："出去散一会儿步，钥匙借用一下。时生。"

啊！拓实赶紧去摸脱下后随手乱扔的裤子的口袋。钥匙环还在，但房门钥匙不见了。环上本有两把钥匙，现在只剩下千鹤家的那把。

"浑蛋……"拓实将手指插进烟盒，但里面空空如也，他这才想起昨夜已被自己抽得精光。"该死！"他咂了一下嘴，摔掉了烟盒。

这时，大门的锁开了。他以为是时生回来了，探进头来的却是千鹤。她上午一向很少来。

"哦，早啊。"

"伤怎么样了？"

"就那样，有点青。"

千鹤从正面直直地看着他，说："嗯，不显眼，估计不碍事。"

"说什么呢，不碍什么事？"

"给你。"她递过一张小广告似的东西。拓实接过，看了看上面印刷的文字，皱起了眉头。那是一张招聘警卫的广告。

"喂，你想叫我去做大楼里的警卫？"

"那不是正经的工作吗？好像今天有面试，去试试吧。"

"开什么玩笑？我要做的是用这儿的工作。"他指了指太阳穴，"我可不想被人吆来喝去。"

"你这么说，可要挨全世界的警卫骂了。那可是很需要当机立断的，你那个草脑瓜也许不管用呢。不管怎样，先去应聘试试吧。"

"什么叫草脑瓜？"

"就是没有脑浆、塞满草的脑瓜呗。"

"你说我是个傻瓜？"拓实扔掉了小广告，"正因为不是傻瓜，我才思考着将来。我要干的是能实现梦想的工作。当警卫能成为亿万富翁吗？能住上带游泳池的豪宅吗？我不是老对你说吗，我要干就干大事，赚大钱。你想帮我找工作，就找些能激发梦想的工作，拜托。"

千鹤拾起小广告，长长地叹了一口气。"干大事，赚大钱。"她又叹了一口气，"只有真正的傻瓜才会说这种话。"

"你说什么？"

"拜托了。"千鹤双膝跪地，深深低下了头，"去应聘吧，可能的话，要尽力争取被录用。"

"千鹤……"

拓实正不知说什么好，门突然开了，时生提着个纸袋走了进来。

"咦，千鹤，你给他道什么歉啊？"

千鹤没有回答。

拓实将她拿来的小广告拿给时生看。"你瞧她胡说些什么！叫我去干这个！"

时生看看小广告，点了点头。"哦，当警卫，有点意思啊。"

"对了，你去正好，你不是无业游民吗？"

"拓实哥，"千鹤抬起头来，"请认真考虑。"

面对着她一本正经、咄咄逼人的目光，拓实有些抵挡不住了。他小声嘟囔了一声："看来不去不行啊。"

千鹤不知从哪里淘来的这套西装，颜色虽有些土气，尺寸倒很适合拓实，再打上领带，也就勉强像个正经的上班族了。

"警卫还打什么领带呢？"

"不是去面试吗？第一印象很重要的。"千鹤替他正了正领带。

"很合身嘛。"时生在一旁怪笑。他在榻榻米上摊开报纸，从头到尾地读着。他提来的纸袋里净是些从车站拣来的报纸，似乎想了解世上到底发生了什么。拓实想，又不是浦岛太郎①，这家伙太怪了。

"我没有坐电车的钱啊。"

"你昨天不是抢了我的吗？"时生道。

"四百五十元够干什么？"

千鹤叹了口气，从钱包里取出两张千元钞。"借给你以防万一，可别乱花。"

"谢了，不好意思。"两张钞票一眨眼就进了拓实的口袋。

在千鹤和时生的目送下，拓实无精打采地离开了公寓。

招聘警卫的公司在神田。小广告的地图上标注的地方，有一栋像

---

① 日本民间故事中的人物，被神女接去海底享尽荣华，三年后返回故乡，发现人间已沧海桑田。

是已建了三十年的大楼，那公司好像就在三楼。

面试下午三点开始。看看向千鹤借来的手表，还有二十来分钟，拓实环顾四周，目光最后停在了弹子房的招牌上。

打一局转转运吧。他摇摇晃晃地朝那儿走去。

然而，二十分钟后从店里出来时，他的心情更糟了。前半局手气还不错，可从某一时刻起，弹子一颗也不进洞了，手里的弹子却像退潮似的倏地消失。一千五百元泡汤了。

真倒霉！拓实朝地上吐了口唾沫。

乘上大楼里的电梯，到达公司时，时间已过了下午三点。开门一看，似乎是接待台的地方坐着一个白发老者，身穿藏青色制服。

"哎，我是来面试的。"拓实对那人说道。

白发老人抬头紧盯着他。日光灯清楚地映在他的镜片上。

"面试三点就开始了，你不觉得迟了吗？"老人皱起了眉头。

"哦，不好意思。"烦人的老头！拓实心里嘀咕道，不就迟到了一小会儿吗？

"警卫这工作，严格遵守时间是个绝对的条件。从面试时就开始迟到，还像话吗？你到底想不想干？"

拓实垂首不语，怒气开始在胸中弥漫开来，有一部分是冲着千鹤去的——可恶，凭什么我非要被这个死老头子教训？

"有人提前三十分钟就来了。这是社会常识啊，明白吗？啊？不说上两句？"

"对不起。"好不容易才发出这么一点声音。拓实已濒临爆发。

老人咂了咂嘴，伸出右手。"算了，就让你参加面试吧。拿简历来。"说着，他又咂了咂嘴。

这声音斩断了拓实捆住怒火的最后一根忍耐之丝。他停住正要递上简历的右手，瞪着对方。

"耍什么威风啊？死老头子，不就是个巡夜的吗？老子还不干了呢！"说完，他猛踢了一脚接待台，没等对方惊叫出声，就转身跑出房间，随后又猛力摔上了门。

乘电梯下到一楼时，他依然怒气冲冲。然而，出了大楼、向车站走去时，一阵懊悔向他袭来。

弄砸了！

不论怎么想，总是自己不对，问题就出在面试前去了弹子房。尽管是不情愿的面试，可没对付过去，还怎么见千鹤呢？

在神田上了国铁①，在上野下车，他垂头丧气地踏上归途。一想到千鹤正在家里等着，他的心头就愈发沉重。不知不觉地，他的脚朝另一个方向走去。

等他回过神来，发现自己已到了仲见世街。这条街很熟悉。他一打横，进了家面朝后街的咖啡店。这家店是新开的，有很大的玻璃窗，可以看到外面来来往往的行人。店里客人很多。

拓实坐到最靠里的桌子前，叫了一杯咖啡。只有在这里消磨时间了。

桌面又兼作电视游戏的屏幕，游戏自然是"太空侵略者"。今年，这款游戏大受欢迎。眼下这店里的客人几乎都在埋头玩着，喝着咖啡交谈的一个也没有。人们全低着头，注视着画面，双手紧握操纵杆。

拓实将手插进裤子口袋，由于已经去过弹子房，口袋里只剩下几枚硬币。扣除咖啡的费用，他将余下的百元硬币叠在桌面上，将最上面那一枚慢慢投进游戏机。

不一会儿，他就完全沉浸在电子音响的轰鸣声中，左手操作手柄，右手按按钮。他热衷此款游戏许久，对如何有效歼灭敌人、如何击落分值最高的飞碟都了如指掌。

①全称为"日本国有铁道"，是运营日本国有铁路的特殊法人，自 1987 年 4 月起被 JR 集团取代，实行民营管理。

仅靠第一枚百元硬币，他就消磨了相当长的时间，得到的分数也被记了下来，而且成为这张桌子上的最高得分。为刷新纪录，他又投进一枚百元硬币。

第一关轻轻松松就通过了，他抬了一下头，恰巧透过玻璃窗看到了千鹤。

她东张西望地正要走进店来。

拓实毫不犹豫地藏到桌子底下。要是在这里被她发现，还不被她骂死？

他一动不动地藏了一会儿，提心吊胆地抬起了头。千鹤的身影不见了，像是没发现他。真悬啊！他重新启动了游戏。

拓实回到住处时，时生还在读报纸。他几乎就坐在摊开的报纸上，说了声："你回来啦。"

"太专心了吧，有什么好玩的报道？"

"嗯，还真不少。撒切尔夫人当上首位发达国家的女首相，就在不久之前。"

"是啊。"拓实脱下西装，挂在衣架上，"千鹤呢？"

"哦，大约一小时前出去了就没回来。"

一小时前，不正是出现在咖啡店的时候吗？她去那里干什么？

"面试怎么样？"

"啊，泡汤了。"拓实换上运动衫裤，躺了下来。

"泡汤了？竞争很厉害？"

"嗯，暗箱操作，要招的人早就定好了。"

"这不是作弊吗？"

"就是啊，叫人气不打一处来。"他随口胡诌着，可心里也觉得不是滋味。

"你要是胡说八道，千鹤可要灰心了。"时生道。

"她说什么了？"

"像是抱着很大的期望，说是这次一定要让你好好干。"

"嗨，她老这么说。"

拓实将手指插进头发，用力搔着。

时生叠起报纸，打了个哈欠。"啊，有点饿了。"

"吃点面包吧。"

"老吃那个也不行，去买些吃的吧。"

"我可没钱。"

"啊？"时生的眼睛瞪得浑圆，"不是从千鹤那儿拿了两千元吗？"

"那个……都交了面试费了。"

"什么？面试怎么还要钱呢？"

"谁知道？他们要收钱，我有什么办法。"

"那昨天的四百五十元呢？"

"也花了，电车费。"

"这就不对了。从这儿到神田，对吧？ JR，不，国铁这个月虽然涨了价，但起步还是一百元啊，报上写着呢。"

"啰唆什么！没了就是没了，有什么办法！"

"那今天的晚饭怎么打发呢？"

"这个嘛，车到山前必有路。我说，你要在这儿待多久？我可不记得说过要养你。你该去哪儿去哪儿，赶快。"

拓实翻了个身，将后背对着时生。

10

那天的晚饭是"穷人的比萨"加方便面。玩游戏剩下的一点点钱，只够买些方便面了。

"这样的饮食结构对身体不好，中性脂肪和胆固醇会堆积起来的。"喝干面汤后，时生说道。

"什么玩意儿？少说听不懂的话。"

"没什么难懂的啊。你不知道胆固醇吗？"

"听说过，不就是接电话的人付钱的那种吗？"

"那是对方付费电话。"①

"真啰唆，管他呢！你吃着我的还提什么意见！不爱吃就别吃。"

"我也付过四百五十元，这种方便面一桶还不到一百元呢。"

"昨天不是吃了饺子？"

"那些也不值三百元。"

"跑腿费不要吗？"拓实瞪向时生，时生也瞪着他。过了一会儿，拓实先行移开视线，将手伸向烟盒。

时生笑了起来。"这样也挺有趣啊，以前从未这么吵过。"

---

①在日语中，"胆固醇"与"对方付费电话"两个词发音相似。

"跟谁？"

"所以说——"时生话到嘴边又晃了晃脑袋，低下了头，"没什么。"

"怪人。"拓实打开了电视。一群年轻人在随迪斯科音乐跳舞。他咂了下嘴，换了个频道。自从约翰·屈伏塔跳过后，谁都像着了魔似的学这种古怪的舞蹈。

"我说，千鹤可真是个好姑娘。"时生忽道。

"怎么突然又提她了？"

"今天她还关心我呢，问我伤势怎样了。"

"那是因为她有护士情结。"

"我觉得很奇怪，为什么你没和她结婚？"

"别用这种古怪腔调说话。不是对你说过，我打算和她结婚吗？当然了，目前还做不到。"他搔了搔脸。

"能结婚……就好了。"

"这件事不用你操心吧？"拓实将视线又转回电视上。身为职业摔跤手的美女双人组正在与小丑较量。拓实看得张大了嘴巴，乐不可支。

过了凌晨一点，二人都钻进被窝，但拓实马上又爬了起来，他总觉得有件事放心不下。

千鹤！

是她让自己去招警卫的公司面试的，自然应该关心结果，从酒吧下班后，应该立刻来公寓才对，现在却不见人影。锦系町的酒吧只营业到十二点半，她坐电车到浅草桥，骑上放在那儿的自行车到拓实的公寓，应该到不了一点钟。

难道她今晚不想过来吗？但她肯定想知道面试结果啊。还是遇上什么事，太累了？

拓实钻出被窝，穿上衣服。时生也立刻坐了起来，看来他也没睡着。

"这么晚了，还去哪里？"

"嗯，出去一会儿。"

"问你去哪里。"

拓实心下不耐，可还是回答了。"还不是她，千鹤呗。"

"啊，"时生点点头，"那我就不妨碍你们了。"

"想什么呢？我只想告诉她面试的结果罢了。"说到这里，他像是忽然想起了什么，低头看着时生，"你不一起去吗？"

"我？干吗？"

"也没有什么特别的理由。不愿去就算了。"

其实他心里在想：若时生一起去，千鹤责怪起来，自己也便于打岔。他觉得如果单独与千鹤面谈，没参加面试一事会露馅的。

在拓实穿鞋时，时生开口了："等一下，我也去。"

担心与千鹤彼此错过，在时生的提议下，他们在一张不知是什么广告的背面写上"千鹤，我们去你家了，拓实"，搁在厨房里。

千鹤租的房子在藏前桥边，比拓实租的公寓稍新一点，在一楼最里面。千鹤总是抱怨，夏天也不能开着窗睡。去年夏天，拓实和她在咔嗒咔嗒响个不停的电扇吹出的风中大汗淋漓了许多回。

"好像还没回来。"看到窗口的灯没亮，时生说道，"也可能是睡了。"

"没有的事。她不到三点钟是不会睡的，要吃夜宵，还至少要将当天的内衣洗掉，不然就睡不着。"

"哦，家庭主妇型的。"

"是吧？最适合做老婆了。"

他们转到前面，敲了敲门。没人应答。

"可能还没回来，去屋里等吧。"拓实掏出了钥匙。

"随便进去不好吧？"

"有什么不好？我不是有她的钥匙吗？"

"我知道，可随便进姑娘的房间……总觉得不好，侵犯隐私啊。恐怕她也有些不愿被人看到的东西。"

"什么？"

"比如内衣什么的。"

拓实笑了。"她的内裤我早看够了，还有内裤里面。"

"你当然无所谓，我进去就不合适了，在外面等着好了。"

"别那么在意。"

"那可不行。"时生擦了擦人中，道，"你也在外面等为好。"

"为什么？"

"不是要谈面试的结果吗？要尽量哄她开心才好啊。她看你一直候在外面，说不定心里会很感动。"

拓实认真一想，觉得这主意的确高明。

"这倒也是，就在这儿等着吧，反正不怎么冷了。"他将钥匙塞回口袋，走过去，"别以为我怕千鹤。"

在看得见公寓正面的地方，正好有两只塑料桶，桶盖上用记号笔写着人名。他们在桶上坐下。

"警卫的工作完蛋了，明天起你靠什么填饱肚子呢？"时生问道。

这正是拓实最不愿意听到的问题。

"总有办法。"

"什么办法？"

"打点零工什么的……我也不是没考虑啊。"

"可现在你身无分文，"说着，时生抬起头看着拓实，"你不会想去榨千鹤的钱吧？"

"这是什么话！那样我不就成吃软饭的了？"

时生默不作声，似乎在想：事实上，你不就是个吃软饭的吗？

"你可别把我看扁了，我自有打算。"拓实虚张声势地说。可他自己也知道，这话毫无说服力。老实说，他并没认真考虑过什么。不，倒是想过，但没想出什么名堂。

看来还是得大学毕业啊！为自己的将来犯愁时，他总觉得底气不足。

要从养父母身边离开，自己一个人生活下去——当时他脑中净是这样的念头，所以高中毕业后就工作了，去了一家制造管子的公司，工作内容是非破坏性检验，就是用超声波或电子仪器来检查管子是否合格。工作很无聊，安排他住进的单身宿舍里还有个变态的同事。一天晚上，这人提着一升装的大酒瓶，脱下了喝醉酒睡着了的拓实的内裤，将头伸到他腿间。拓实醒了，用尽全身力气揍他的脸。毫不夸张地说，那人的鼻梁被打塌了。拓实自以为没什么错，可还是因打架被狠狠地训了一顿。他向上司反映情况，可人家根本不听，公司不愿追究员工有没有变态行为。这让他觉得上班族的地位太可笑了，工作又无聊透顶，于是他当场辞职。那时，他刚进公司十个月。后来，那个变态者通过整形治好鼻子，依然若无其事地回公司上班了。

那家制管公司竟成为他连续工作最久的地方。之后，他不停地换工作，很少有超过半年的。在千鹤所在的酒吧对面的咖啡店，也只待了八个月，离开的原因是与顾客打架。

就这样，一晃他已经二十三岁了。就算是高中毕业后没考上大学，一年后再上，到今年春天也应该大学毕业了。在这五年里，自己到底都干了些什么？一想到这个，他就心情郁闷。

老老实实地参加警卫面试该多好啊，拓实追悔莫及。

"还不回来啊。"时生嘟囔道。

"是啊。"他竟然也有点担心了，"现在几点了？"

"几点呢？"时生东张西望，他也没有手表。

应该已过了两点，说不定快三点了。就拓实所知，千鹤从来没有这么晚回来过。

"她不会在你那里等着吧？"

"不是留了条吗？"

"也许她没看见。"

拓实歪了歪脑袋，她不会看不见的。忽然，他心中焦躁起来。他想起不知什么时候千鹤曾说过："有的客人很缠人，跟他说不用了，他偏要送我回家。一上出租车，却朝别的方向开去了，说是再陪他去下一家酒吧喝酒，其实是想拖我去酒店开房间，每次我都得想办法糊弄过去，真受不了啊。"

每次听她说起这样的话，拓实都想不准她去上班了，可也知道自己根本没有强硬地命令她辞职的资格。过一阵子再说，过一阵子再说……每次他都这么想，一直拖到了今天。

"我进去看一下。"拓实站起身，伸手从口袋里取出钥匙。这次，时生什么也没说。

打开门，扭亮灯，只见一居室的房间整理得井井有条。水池里没一只待洗的碗，起居室的桌子上也干干净净，没一样东西。里面的房间放着床和梳妆台，小书架上排列着文库本书籍和漫画。

拓实觉得有点异常。千鹤是好洁净，可这样也整理得过头了吧。脱下的衣服一件也没有，梳妆台上也纹丝不乱。

他打开壁橱。那里一直都挂满了衣服，挂衣架的管子还是拓实安装的，可现在里面空空如也，只有那根管子依然如故。

这到底是怎么回事？

突然，他看到了一张便条，便伸手取过。

拓实哥：

　　和你在一起时，开心的日子也有很多，但我还是决定要结束了。

屋里的东西我已托朋友处理了，麻烦你将钥匙还给物业，估计会退回一些押金，你就用吧，就算是我对美好回忆的谢意。

保重身体，再见了。

千鹤

看第一遍的时候，读到一半，拓实的脑袋突然变得一片空白，便又从头读起，大脑仍拒绝文字进入，可意思是理解的，但他不愿相信。他拿着便条，茫然伫立，看着壁橱里面的木板。

远处有声音传过来。拓实……拓实……有人在叫他。可他无心回答。

"拓实。"

肩膀被人拍了一下，他才朝发出声音的方向转过身去。慢慢地，焦距对上了，时生正满脸担心地看着他。

"怎么了？"时生在拓实眼前挥了挥手掌。

"没，没什么……"

"这是什么？"时生一把抢过便条，看着看着，他的眼睛瞪得浑圆。"这不是千鹤留下的吗？她已经走了？"

"好像是这么回事。"

"好像……这可怎么办？"

拓实噗地吐了口气，刹那间，全身的力气都跑光了，他一下子瘫在地板上。

11

他们彻夜未眠，一直坐在千鹤的房间里等待，但千鹤没有回来。到了早上，时生在冰箱中找到了两个蛋糕卷，问拓实吃不吃。拓实全无食欲。时生喝着利乐纸盒包装的牛奶，将两个蛋糕卷吃得精光。

"她不回来了啊。"时生小心翼翼地说道。

拓实没理他。他根本不想开口，只是呆呆地靠床坐着，双手抱着膝盖。

"有什么线索？"时生又问道。

"线索？什么意思？"

"就是千鹤人间蒸发的原因呗。"

"我要是知道了，还发什么愁！"拓实叹了口气。

"这也太突然了，会不会和你昨天去面试有关？"

拓实无法回答。他也想到了这一点。

"拓实，你真去面试了吗？"时生一针见血地刺了他一句。

"去是去了，可没被录用，我有什么办法？这怪我吗？"

时生搔了搔头，似乎觉得也不能这么说。

上午十一点，房门被打开了。他们以为是千鹤，可探进头来的是一个三十来岁、身穿工作服的陌生胖男人。

原来那人是回收废品的，像是千鹤叫来搬东西的。另有三个打零工的年轻人也跟着进了屋。他们拿出专业搬家者一般的利落劲儿，接二连三地将家具和电器统统搬了出去，连书架上的书，碗橱里的碗筷盆匙，还有窗上的窗帘，也一样不落地全数拿走。一小时不到，屋子就成了一个空壳。拓实和时生仍留在空空如也的房间里。

"她叫我将这个放进信箱……"胖男人递来房间的钥匙，拓实伸手接过。

"叫你们来的是早濑千鹤？"他问了一句。

"是啊。"

"没留什么联系地址？"

"留了，说是如果有什么事，找这儿就行。"胖男人掏出一张便条。拓实一看就大失所望，上面写的正是他的姓名和住址。

回到自己的住处，怅然若失的感觉依然如故。拓实在房间正中央盘腿坐下，心里想着千鹤出走的理由：她的出走并非无缘无故。她直到现在才突然离开，应该说是自己的幸运了，但想不通她为什么走得这么突然。

时生不时和他搭讪几句，他随口应付着。他想抽烟，可烟盒已空了，也没钱再买。这种景况下，千鹤离他而去也是顺理成章。

傍晚，他又出了家门，时生紧随其后。

"愿意跟你就跟着吧，可得走路啊。"

"走到哪里？"

"锦系町。"

时生站住了。拓实头也不回地说："不愿意去就回屋等着。"

过了几秒钟，拓实身后有脚步声追了上来。

在锦系町车站前街的一条小巷里，有家叫"紫罗兰"的酒吧，对面就是拓实工作过的咖啡店。紫罗兰的门上挂着块"营业中"的牌子。

拓实推开店门，见调酒师和妈妈桑正隔着柜台聊得起劲。千鹤说过，这两人有私情。店里没一个客人。

"欢迎光临。"调酒师抬起了头。这人长着一张螳螂脸。

"不好意思，我们不是顾客。"拓实低头行礼，"千鹤来了吗？"

"千鹤？"调酒师皱起眉头看看妈妈桑。

"你是……"浓妆艳抹的妈妈桑问道。

"千鹤的男朋友。"

"噢——"她将拓实从头到脚看了个遍，"那位小兄弟呢，是朋友吗？"

"是，请多关照。"时生规规矩矩地鞠了一躬。

妈妈桑又将视线移回拓实脸上。"千鹤不干了，就在昨天，挺突然的。你不知道？"

"她为什么突然不干了呢？"

"我怎么知道？她走了，我们也有麻烦啊，一下子上哪里去找人来替她呢？她说日薪不要了，许是有什么要紧事，这才放她走的。"

"日薪，是到今天为止的部分吗？"

"是啊。"

本月已过了一半。这一数额对千鹤来说并非无关紧要，她为何宁可放弃也要急着离开呢？

"说起来，两三天前，千鹤还说了些莫名其妙的话呢，说是要叫朋友去招警卫的公司面试，就是你吧？"

"啊。"

"嗯，果然是你。"妈妈桑不怀好意地笑了起来，"那里的人事主管是我们这儿的客人，千鹤拜托他照顾她的朋友。那么，你面试的结果怎样呢？"

拓实无言以对。

妈妈桑与调酒师对视一眼，又笑了。"没通过？那可枉费千鹤的一番苦心了。"

拓实心头火起，可还是强忍着。"千鹤说过要去哪儿吗？"

"什么也没说。我们才不关心这种说走就走的人的去向呢。真是的，我们以前还那么照顾她。"

拓实想说，千鹤可说过你总是费尽心机克扣工资，可还是忍住了。

"那么，告辞了。"拓实低了下头，准备出去。

"如果得知千鹤在哪里，能告诉我们一下吗？"时生问道。

拓实在心里骂道，这死老婆子有这么好心吗？

妈妈桑略一迟疑，竟不太情愿地点了点头。"好吧，那就留个电话。"

拓实拿过旁边的一张纸杯垫，用圆珠笔写下住址和电话号码。妈妈桑看了，撇撇嘴道："是公用电话？"

"马上就要自己装了。"

"那也得先干活才能买啊。"说着，她将纸杯垫扔到柜台上。

拓实与时生出了酒吧，迎面走来两个男人，都穿着黑西装。他们与拓实擦肩而过，进了紫罗兰。

"这种客人也来啊。"拓实小声嘀咕道。

"什么客人？"

"不是正经人，一看就知道。"

他回想起在做推销的公司里也见过有着同样眼神的人。

"黑道？"

"差不多。世上也有些人既不是流氓，也不是正经人。"

这是他从不断的跳槽经历中学到的知识之一。

他们没钱，只好步行回家。两人无精打采地并肩走着，回浅草的路还很长。

"面试的事，你说是有人走了后门，对吧？"

"是啊，我说过。"

"可刚才听妈妈桑说，千鹤已经跟人家说好了。这到底是怎么回事？"

"谁知道？一个酒吧小姐的话能有多管用？"

"拓实，你真去面试了？"

"怎么，你是说我撒谎了？"

"也不是。可如果你没去面试，说不定千鹤已经知道了。她可能问过那个人事主管。"

"我去了，我当然去了。"拓实加快了脚步。

其实，他也正考虑此事。千鹤肯定会那么做，而且她若得知自己在那家公司时的态度，也许会觉得再一起过下去已毫无意义。但也不至于要从公寓里搬走啊。

"是了，这下我明白了。"时生喃喃道。

"明白什么了？"

"与千鹤分手的情形啊。我曾想，她真不错，即便与你结婚也挺自然的。"

"喂，别老用这种过去时说话好不好？分不分手，不是还没最终决定吗？"

"已经结束了，这是命中注定——"

拓实一把揪住时生的领口，握紧右拳，胳膊猛地后摆。时生抽搐着脸，闭上眼睛。见状，拓实不知为何竟无法出手，一种近似怜爱的奇妙感情涌了上来。

拓实松手，推开了时生。时生伸手叉住喉咙，不停地咳嗽。

"你根本不懂我的心情。"说完，拓实径自往前走去。

下吾妻桥时，两腿已疲惫不堪。走过神谷吧[①]，拓实停下了脚步。

---

① 位于东京台东区浅草的酒吧，于 1880 年 4 月开业，据说是日本最早的酒吧。

"啊，丝毫未变啊，应该是明治十三年开业的。哦，电气白兰①的招牌也依然如故，"时生异常兴奋，"虽说已过了二十年。"

"二十年？喂，你在说什么时候的事情？"

"啊，我是在想，再过二十年也不会有变化。"

"谁知道？再过二十年肯定要倒闭了。"拓实走了进去。

"哪有这事！"时生应了一声，也跟了进去。

店里摆着几张旧桌子，结束了一天工作的上班族正围桌而坐。拓实环顾一周，盯上了靠里的一张桌子。

身穿灰色工作服的佐藤宽二正在那儿和同伴一起喝啤酒，下酒菜是毛豆和炸小鱼。拓实上前拍了拍他的肩膀。"喂。"

剃着平头的佐藤抬头望了他一眼，脸上现出露骨的厌恶。"是你啊！"

"别这么看着我好不好？我们不是一起送过寿司的伙伴吗？"

"亏你还好意思说！你卷了钱开溜，害得我也丢了饭碗。"

"陈年旧账还提它干吗？久别重逢，我们还不喝上一杯？"

"你要喝尽管喝，只是请另找桌子。"

"怎么说话呢，这么无情无义？坐在你边上喝又不碍你事。"

"恕不奉陪。你的把戏瞒不了我，想让我们结账时把你那份也算进去，没门儿。"佐藤扭过了脸。

拓实搔了搔鼻尖：想法被道破了。

"好了，好了，说正经的，我现在害了缺金病，借一千元给我吧，马上就还，就算我欠你的情了。"他柔声细语地说着，双手合十。

佐藤呷了呷嘴，赶苍蝇似的挥了挥手。"走开！我哪有钱借给你！"

"别这么绝情，拜托了。"拓实低三下四地点着头。

───────────────

①神谷吧创始人神谷传兵卫独创的一种以白兰地为主的鸡尾酒。明治时代电气尚未普及，很有吸引力，故得此名。

"行啊，借你一千元可以，但你得先还了去年夏天祭神时借的那三千元。那个还没还吧？"

一点也没错。看来无计可施了，拓实死心了。他正要离开桌子时，突然从佐藤面前的盘子里抢了一条炸小鱼。

"啊，浑蛋！"

拓实听着背后佐藤的怒骂声，撒腿跑出店去。

一直跑到雷门，他才停下脚步，嚼着炸小鱼，回头看向身后。他以为时生没跟上来，但时生正站在不远处，直直地盯着他。

"又怎么了？干吗用这种眼神看我？"

时生长长地叹了口气。"太丢人了！"

"什么？"

"老想着敲别人竹杠，丢不丢人？连我也觉得丢人。我还以为你会像样些呢。"

"那就对不住了，我就是这么个人。"拓实继续嚼着炸鱼。

"偷吃别人的东西，这不跟野狗一样了吗？"

"是的，我就是野狗，和猫呀狗的一样。"拓实将手里的鱼骨头扔向时生，"想生就生，生完了嫌麻烦就扔掉，这样的孩子还能混出个人模样吗？"

时生面露悲戚之色，慢慢地摇了摇头。"出生到世上，单单因为这个，就该心存感激。"

"哼，别唱什么陈词滥调，生孩子谁不会？"他转身就走。

然而，他立刻感觉背后有人，肩膀也被抓住了。他一回头，见时生正要揍他。身体的反应比头脑更快，他一个后仰避开了拳头，随即挥出一记直拳。

在刹那间，他已减轻力道，可这一拳依然揍瘪了时生的脸颊，令他飞出两米多远，跌坐在地。

"好疼……"时生用手捂着脸。

"你胡闹什么？"

街上的行人以为他们在打架，纷纷围拢过来，见打人的却又将被打的拉了起来，大家似乎又放心了。

"拓实，跟我一起去吧。"时生仍捂着脸，说道。

"去哪里？"

"爱知县呗，去东条女士那儿。不然，事情无法解决。"

一听"东条"，拓实的心就冷了。他站起来，不理睬时生的呼唤，径直离去。

走到公寓前，他才转过头。时生跟跟跄跄地跟上来了。拓实叹了口气：这家伙到底是什么来历依然不得而知，可和他在一起总觉得很开心，真奇怪。

时生跟上来后，拓实上了楼梯，开了门锁，走入房中。屋里漆黑如墨。突然，有人勒紧了他的脖子。

"宫本拓实？"黑暗中传来一个低沉的声音。

12

拓实挣扎着想甩开对方的手，可那人力气之大超乎想象，手纹丝不动。

"干什么？是谁？"他又开始晃动身体。

"别大吵大闹。"面前又传来那个声音，接着听到打开日光灯的声音。房间亮了，拓实眨了眨眼睛。

眼前有一个男人，正皮笑肉不笑地坐在厨房角落里的一堆杂志上，四十五六岁的样子。那张脸拓实见过，就是出了紫罗兰，在路上擦肩而过的两人之一。

"是你？刚才……"

"刚才在路上遇见过，对吧？你还记得我，很细心啊。"那人将目光转向勒住拓实脖子的人，"这人不傻，无意中便能抓住要领，这是天生的本事。他很聪明。"

拓实感觉到背后那人在点头。

"夸我自然高兴，可现在这个样子让人吃不消啊。"

"抱歉，怕你不识相、大吵大闹，才这样做。"

那人稍稍动了动下巴，勒住拓实的胳膊便松开了。拓实转了转肩膀，扭过头，看见一个留着髭须的男人，正是路上见过的另外那个。

门开了，又出现一个年轻男子，戴着金丝边眼镜。时生被那人拖了进来。

"你朋友是和你一起的吧？"坐在杂志上的男人乐呵呵地说道。

"怎么回事？"时生看着拓实。

拓实默不作声地摇了摇头。

"别都挤在那儿，进来吧。我虽这么说，这里可是这位小兄弟的屋子。"

拓实闻言脱了鞋子。"你是什么来头？"他问那个男人。

"先坐下再说。"

拓实盘腿坐下，时生坐到他身边。留髭须的男人和年轻人站在他们身后。

"这房间可真脏，偶尔也该打扫一下啊。"坐在杂志上的男人环顾室内。

拓实想说"别多管闲事"，可还是忍住了。

那人尽管态度和蔼，但看得出他内心冷酷。这种人可不能惹，这是拓实在迄今为止的人生中学到的经验。

"呃，刚才问什么来着？"那人拍了一下脑门，"对了，问我是什么人。抱歉，我的名字不能告诉你，你一定要问，我也只能告诉你假名字，你知道了又有什么用呢？"

"假的也行啊，不然没法称呼。"拓实说。

那人张大嘴巴，无声地笑起来。"用不着称呼我，但你既然说到了这份儿上，就告诉你吧。姓石原，名字嘛，就叫裕次郎。"

"哦……"拓实叹了口气。

"东京都知事的弟弟。①"身旁的时生突然冒出了这么一句。那个自

①石原慎太郎于1999年当选东京都知事。其弟裕次郎为演艺界明星，于20世纪70年代后期风靡日本。

称为石原的人瞪了他一眼，又将视线移回拓实身上。

"我们正在找一个人，一个你非常熟悉的人。一提早濑千鹤这个名字，你马上就知道了吧？哦，你脸色都变了。"

确实，听到这个名字，拓实内心动摇了。"你们为什么要找她？"

"哦，语气一下子就软了，到底是牵挂女朋友的事呀，不错，不错。呃，也没什么特别的理由，只是要她归还一些对我们非常重要的东西。"

"什么？"

"这个我不好回答，总之很重要。刚才我们去了她的公寓，可只剩下个空壳，后来又去了她干活儿的地方，叫紫罗兰吧，这才打听到你。"

"既然这样，你们也该听说了，我也是为找千鹤才去了紫罗兰，你们追到这里来也无济于事。"

"嗯，这也很难说。"

"你以为我在撒谎？"

"那倒不是。有些事恐怕你没留意，不是常说什么旁观者清吗？"

"要是我漏掉了什么，请告诉我，我现在真是一点头绪也没有。"

"嗯，别那么着急。"石原从西装口袋中取出烟盒，是藏青色的。他抽出一支烟叼在嘴上，又用一只玳瑁色的长打火机点燃。在拓实眼里，就连那人吐出的烟雾都相当高级。

吸了一会儿烟，那人看了看脚边，发现有个可乐罐，就将烟头塞了进去，接着再度将手伸进西装口袋，这回拿出一个白色信封，鼓鼓的，很厚。他将信封扔到拓实面前。

"二十万，先给你这么多吧。"

"什么意思？"

"就当是情报费和活动经费好了。看样子，你吃饭都有些问题，所以想帮帮你。但你找到了女朋友，必须立刻通知我们。不用担心，我们不会伤害她，只要她把那重要的东西归还就行。"

"可千鹤到底去哪儿了，我真是毫无头绪，给钱也没法找啊。"

"好吧，我将我们找到的线索先提供给你。她在关西，大概在大阪。"

"大阪？"

"你看，想起些什么了吧。"

"不是。我生在大阪，所以听着亲切。"

"哈哈，你是大阪人？那不正好？"

"我没在大阪长大，刚生下来就被带到这里，之后再没回去过。"

"行了，行了，你的身世我不管。反正对我们来说，只要你找到女朋友就好。你莫非嫌二十万太少？"

拓实的目光从那人脸上落下，停在信封上。"能保证不伤害千鹤？"

"噢，你是说我说话不算数？"石原稍稍瞪了瞪眼。他眼睛深处藏着一种可怕的光芒。拓实闭口不言。石原又笑着点了点头。"算了。你不是也想尽快找到女朋友吗？你要是为她担心，就该抢在别人前面找到她。"

拓实仍默不作声，石原站起身来。"我们走吧。"他对手下说道。

"等等。那个重要的东西，是被千鹤偷了吗？"拓实冲着石原的背影问道。

石原一边穿鞋，一边怪笑道："不清楚，那要问她了。"

"那么——"

拓实还想追问，却被留髭须的男人制止了。紧接着那个年轻人也走过来，抓住拓实的手腕，往他手里塞了什么。拓实摊开手，是一张便条，上面写着一串数字，像是电话号码。

"我们等你的消息，也会不时来看看情况。"说着，石原出了房间，两个手下紧随其后。

拓实赤脚来到玄关，锁上门。这时他才想起自己离开时门本是锁着的。石原他们是怎么进来的呢？他愈发觉得可怕了。

时生在厨房正中数着信封内的钱。

"干什么呢？"拓实一把抢过。

"分文不差啊，正好二十万。"

"那又怎样？"

"拓实，就照他们说的做吧。"

"那怎么行？只为这点钱就将千鹤卖了？"

"那个姓石原的说不会伤害千鹤，这话不能信吧？"

拓实点点头。正像石原所说，要尽快找到千鹤。"他们到底是什么人呢？"他喃喃道。

"你一点头绪也没有？"

"是啊，也没听千鹤说起过什么。"拓实就地坐下，"那重要的东西到底是什么？千鹤怎么会有呢？"

他回想着和千鹤在一起时的种种情形，可能的线索一点也没记起来，想见她的心情倒更强烈了。

"先把这钱还了吧。"时生道。

"是啊，我不想欠他们的钱。"

拓实虽这么说，可看着信封，内心却很复杂。没了这笔经费，可怎么找千鹤呢？

"不是说大阪什么的吗？你没想起什么？"

"啊，倒是有一件。"

千鹤曾说过有个朋友在大阪的酒吧里工作。如果千鹤去了大阪，很可能去找那个朋友。

"不管怎么说，要先去大阪才行。"

"嗯。"

拓实又看了看信封。去大阪需要钱，可现在身上这点钱，别说新干线了，连公交车也坐不起。

"我说，先借用一下，怎样？"时生提议道。

"以后挣了再还？找到了千鹤的藏身地也不告诉他们？开什么玩笑，肯定要被他们揍个半死。"

"不，我们拿这笔钱当本金，用它来生钱。这样，不就很快可以还他们了？我们再去找千鹤就和他们没瓜葛了。"

拓实频频打量着时生的脸，可怎么看他也不像在开玩笑。

"你是说用这笔钱去赌博？"

"嗯，也可以这么说。"

拓实慢慢地摇头，笑了起来。"我是浑，你也差不多啊，不，是比我还浑。干这种事，万一血本无归怎么办？又欠人钱，又没了经费，还有脸混吗？"

然而，时生也对他摇了摇头，露出一本正经的眼神。"今天是什么日子？"

"今天？嗯……"拓实看了眼墙上贴的日历，"二十六号。"

"明天就是二十七号。"

"那又怎么样？"

"报纸上说，明天好像有日本德比大赛。"

"赛马呀，"拓实仰天朝后倒去，恢复了坐姿后，飞快地摆了摆手，"这是抽头最多的赌博。要玩就玩弹子房好了，见势不妙还可以立刻停手，还能少亏些。再说，前一阵我老输，估计手气也该转了。"

拓实做了个弹弹子的手势，但他的手很快被时生拨开了。

"现在哪是玩这些无聊东西的时候！那才是既浪费时间又糟蹋钱呢。"

"那你说，赛马又……"

拓实刚说到这儿，时生就站起身，到房间角落里拿过一份折好的报纸，在拓实面前摊开。

"知道海赛克（Haiseiko）吗？"

"别小看人啊。我虽不玩赛马，海赛克还是知道的，不就是那匹名马吗？还有首歌叫《再见吧，海赛克》呢。"

"海赛克的儿子明天要出场。"时生拍了拍报纸，"卡兹拉·海赛克(Katsrano Haiseiko)，就押这匹。"

"押、押多少？"

"二十万全押。"

拓实大惊失色。"你疯了！海赛克是很厉害，可它儿子未必也厉害啊。谁也不敢说肯定能赢。"

"我能肯定，卡兹拉·海赛克一定赢。可它的人气最旺，所以赔率不高。要想赚得多，就只能将所有的钱都押上。"

"你怎么能肯定？你给操纵赛马的人跑腿？"

"没有假赛，这是事实啊。赛马的事我也不太懂，但以前学过一点，正好知道这事。一个儿子实现了伟大的父亲未能实现的梦想的典型事例……"时生搔了搔头，"我这么说，你肯定不明白。"

"不明白，反正我不干这种傻事，这等于把钱往水沟里扔，还是打弹子好。"

"那才是把钱往水沟里扔呢。"

"什么？你说的那个才悬呢。"

"拓实，拜托了。"时生突然正襟危坐，深深地低下了头，"明天你就闭着眼赌马吧，相信我。"

"……怎么了？"

"说不清，但我真的知道。明天，海赛克的儿子一定赢，押它一定赚钱。"

"你再怎么说，还是没根据啊。"

"如果输了，我不论做什么也肯定还你二十万，哪怕乘渔船去捕捞金枪鱼。"

"你清醒点吧。"

时生不停地低头恳求。

拓实叹了口气。"好了，这样吧，就押五万，怎么样？"

"宫本拓实！"时生猛地抬起头来。

拓实被他吓了一跳。"又怎么了？别吓人，好不好？"

"请相信儿子。只有儿子能实现父亲的梦想。"

"儿子、儿子，你……为何这么帮海赛克的儿子说话？"

然而，不知为什么，拓实说不下去了。他在时生的目光中看到了咄咄逼人的气势。时生似乎要将体内的某种东西传递给拓实，拓实正是被此慑服，特别是"儿子"这两个字的发音使他心旌摇曳，不能自持。

"十万怎么样？"拓实说道，"可以成交了吧？我可是下了拼死一搏的决心。"

时生垂了一会儿脑袋，随即点了点头。"没办法。我没法让你相信，但绝不会让你后悔。"

"真要是那样就好喽。"拓实看了看手里的信封，他已经开始后悔了。

13

第二天是个适合赛马的好天气。下午，拓实和时生去了位于浅草国际大道的岔道里的场外马券销售处。不愧是日本德比大赛，下注的人比往常拥挤得多。

"试试运气吧。"拓实正要迈步上前，忽听"等等"，时生拉了拉他的袖子。

"怎么，开始心虚了？"

"才不是呢。有件事你要答应我。"拓实皱起眉头。

"都到这里了，你还要唠叨什么？饶了我吧。"

"昨天我也说过，如果赔了，我拼命也会还你。"

"你有这份心就行，我倒没真想把你赶上船去捉金枪鱼。"

"我是当真的。"时生很难得地瞪起了眼睛，"所以你也要答应我。如果卡兹拉·海赛克赢了，你就得听我的。"

"分账，是吧？我懂，一人一半呗。"

时生不耐烦地摇了摇头。"钱无所谓。如果赢了，你要去东条女士那里！"

"你又提这事。"拓实扭过脸去。

"不是要去大阪吗？爱知县正好顺路，去露一下面，怎么就不行呢？"

"你懂什么！我们必须比昨天那伙人先找到千鹤，哪有空去看一个老太婆？"

时生用诚挚的目光望着拓实。"东条女士可没多少时间了。"

拓实沉默了。他不关心东条须美子的寿命，但不知为何，时生的目光让他无法抗拒。

"没时间了，我去买马券。"说完，拓实便走了过去。

来到销售处，拿出十万元时，他的心剧烈地跳动起来。听到旁边打短工模样的人发出感叹，他却又感到几分得意。

拓实和时生一起进了附近的咖啡店。角落里放着一台电视机，自然在播赛马实况。两人周围都是怀着同样目的的人，目不转睛地盯着电视屏幕。

拓实喝了一口咖啡，用指尖敲打着桌面。

"真有些紧张，毕竟是十万元啊。"他的掌心里渗出了汗水。

"不用紧张，海赛克的儿子肯定赢。"

"你这种沉着劲儿让人讨厌。"拓实隔着桌子将脸凑近时生，"说，这消息可靠吗？哪儿来的？"

"我早说过了，没什么假赛，但肯定赢。"

"搞不懂，但事到如今只有靠你的自信赌一把了。"拓实将目光转向电视。比赛马上就要开始，解说员略显兴奋地说着，咖啡店里的气氛也热烈起来。

"拓实，刚才我提的那事——"

"说什么呢？笨蛋，现在哪有工夫说那些！"

"赢了就去，对吧？去东条女士那里。"

"好了，好了，知道了。到哪儿都跟你去，行了吧？"拓实紧盯着电视答道。

"这就好。"时生小声嘀咕道。

电视画面上，二十六匹马排成一排。栅栏在紧张的气氛中打开了。解说员说出了老一套的解说词："所有的马匹一齐冲出。"

咖啡店里的客人也都探着身子，有几个还喊出了声。拓实身旁的一个家伙喊道："林顿，冲啊！"估计他押了那匹名叫林顿·波勒邦的马。

拓实平时几乎不看赛马，所以对马匹的位置、奔跑状态等一窍不通。他只盯着扎着白色遮眼带的黑色的卡兹拉·海赛克，它身上的编号是七。

所有的马都进入了最后的直线赛道。卡兹拉·海赛克在内侧偏移，像是受到了外侧马的挤压。编号为四的马从后面猛追上来，好像就是林顿·波勒邦。身旁的客人在拼命地叫喊。

两匹马纠缠在一起，冲过了终点，根本看不清到底孰先孰后。店里失望的呼喊声响成一片。

"七号，七号赢了！"

"不，是四号，四号赢了！"

大家七嘴八舌地嚷着。拓实站在一旁，不知所措，只有时生笃定地喝着咖啡。

不一会儿，电视播放了照片裁判的结果。一幅黑白的静止画面显示，卡兹拉·海赛克以一个鼻尖的优势胜出。

拓实高声欢呼，旁边的客人则一脚踢翻了桌子。

三十分钟后，拓实和时生已来到知名的牛肉火锅店里吃起涮牛肉了。

"啊，我真服你了，猜得真准。我看你那么自信，以为你有什么依据才押的。知道真赢了的时候，我激动得直起鸡皮疙瘩。"

拓实大笑着，将扎啤倒进喉咙。啤酒真爽口，他们点的牛肉也是最高级的。虽说卡兹拉·海赛克最有人气，可仍有四点三赔一的赔率。十万元成了四十三万元，稍稍奢侈一点也无妨。

"我不是说过万无一失吗？"时生将牛肉送进嘴里，嚼得津津有味。

"喂，现在可以透个底了吧，你怎么知道它肯定会赢？"

"我说了，很难解释清楚，估计说了你也不信。"

"你不说别人怎么相信呢？难道你能未卜先知？"

拓实想开个玩笑，不料时生倒沉思起来。

"是啊。这么说比较好理解。"

"喂，当真？"

"你看，你还是不信。"

"也不是。你的确猜中了，不由得我不信。"拓实扫视一圈，确认周围没人偷听，又小声道，"要真是这样，我们不就发财了？只管押能赢的马不就行了？"

时生苦笑道："非常抱歉。当代的赛马，我只知道今天这一轮。"

"别那么吝啬，再预测一两轮。弄好了就成亿万富翁了！"

时生停下手中的筷子，长叹一声，瞪着拓实。"我这么说可能有些不合时宜，可我真的无法再预测了，你就死了这份心吧。"

拓实轻轻咂了咂嘴，将筷子伸到锅里。

"不过，"时生又展颜一笑，"未来的事情，也可以给你预测一二。"

"不赚钱的事不说也罢。"

"是非常赚钱的。比如，你与某人约好见面，但眼看要迟到，或者去不了了，你怎么办？"

"什么怎么办！想办法联系呗。"

"怎么联系？"

"给约好见面的咖啡店之类的地方打电话啊。"

"要是约定的地点没有电话呢？"

"这个，"他想了一会儿，摇摇头，"只好事后再道歉了。"

"是吧？可再过二十年，就不用为这种事发愁了。因为几乎每人都带着电话呢，很小，可以放在口袋里，在路上也能拨打。"

"这是小孩子的科学幻想吧？"拓实嘲笑道，"破坏了你的美梦，我很抱歉，可这种事还早着呢！你知道吗？再过三年，就要有不投币也能打的公用电话了。只要有一张月票般的薄卡片，就能打上五百、一千元的电话。这样，公用电话将快速增多，人们何必要带着电话走路呢？"

"电话卡……打公用电话用的卡片的确会热一阵子，但随着手机的普及，它就会慢慢被淘汰，公用电话也会越来越少。人们都将用手机进行交流。手机会增添许多功能，电话线本身也将高速化、复杂化，形成一个完备的网络社会。这是千真万确的，希望你好好记着。"

"我对科幻没兴趣。"拓实轻轻挥了挥手，又要了一杯扎啤。

出了火锅店，拓实对时生说："你先回去，我得去几个地方。"

"去哪里？"

"这里那里的，债欠了不少，我想趁此机会了结一些。"

"哦，"时生点点头，"这样好。我回去等你。"

拓实举起一只手。见时生走远，他也动身了。不一会儿，他就开始蹦跳，还用鼻子哼着歌。

看到一个电话亭，他钻了进去，哼着歌塞入硬币，按下号码。这号码他记得很清楚。

铃声响过几下后，"喂？"电话里传来一个女人慵懒的声音。

"由佳利吗？是我，拓实。"

"啊，什么事？"

"别爱理不理的，今天你陪我有好处啊。"

"别逗了。想叫我出去，先还钱。"

"还呀，不就那么一点吗？再把别的妞也叫上。好久没去'周末狂热'了。"

"神经病！今天是周日啊。"

"管他呢，总有一家迪厅开着吧？今天我请客，大家热闹热闹。"

"你怎么了？"

"来了你就知道，不来后悔一辈子。要感谢今天日本德比赛上的幸运之神——卡兹拉·海赛克啊。"

"押对了？"

"闭着眼押了十万，中了！"

电话那头传来了欢呼声。

三个小时后，拓实开始尽情狂舞。他们硬让一家歇业的酒吧开门迎客，叫来一伙只要能白喝酒就不要命的狐朋狗友，即兴大跳迪斯科。廉价的音响里放着英国比吉斯乐队的歌曲，威士忌和啤酒的瓶塞纷纷被拔出。这些家伙卖力地给拓实打着拍子，他更飘飘然了。有人为了让气氛更加热烈，竟脱光了衣服。

时生打开店门走进来时，场内正值最高潮。拓实站在桌子上，正装模作样地模仿着约翰·屈伏塔。

"喂，时生，亏你找得到这里。"拓实从桌子上跳下，"各位，他就是我刚才提到的小弟。"

场内响起一片欢呼声。

"好棒哦，也给我预测下嘛。"一个女孩媚声道。

"那怎么行？他是我专用的。"拓实搂住时生的肩膀，又对他笑道："对吧？"

时生却没笑，面无表情地看着拓实。"你在干什么？"

"没、没什么呀，稍稍庆祝一下——"

时生甩开了拓实的胳膊。

"眼下是干这种事的时候吗？我可不是为了这个才告诉你哪匹马会赢。"

"话是不错，可赚了那么多，稍稍花掉点又何必大惊小怪呢！"

时生板起脸，挥起右拳砸向拓实的脸。尽管拓实喝醉了，拳的速度也并非快到躲闪不及的程度。然而，拓实却没躲，拳头命中了他的鼻子。

他的一个朋友站起身，一把揪住时生的衣领。

"小子，你要干吗？"

"别动，不关你们的事。"拓实捂着脸站起来，与时生四目相对。时生露出悲哀的神情，望着他。

拓实环视一周，说："不好意思，今天就到此为止了，大家回去吧。"

这伙人的表情全都像中了邪一样，疑惑不解地看着拓实和时生，出了店门。其中有一人嘀咕道："拓实被人打，还真稀罕哪。"

拓实看了一眼捂着脸的手，手上有血。可不知为什么，他并不生气，甚至还有些惭愧。

"对不起。"时生说。

"没什么。"拓实摇了摇头，"不知怎的没躲开，好像觉得不应该躲开似的。"

他用身旁的餐巾纸擦了擦鼻子。纸立刻被染红了。

"走吧，拓实。"时生说道，"不是要去找女朋友吗？然后，还要去见生下你的人。"

拓实攥着沾血的餐巾纸，点了点头。"是啊，上路吧。"

时生微微一笑，露出一点虎牙。

14

第二天晚上，拓实决定和时生一起去锦系町的紫罗兰。拓实提议，如今有钱了，可以坐出租车过去，但被时生否决了。

"有什么不行？比两个人的电车费也多不了多少。"

"这种做派不好，虽说有了些资金，可也不一定够啊，根本不知道找到千鹤要费多大功夫。"

"知道了。真麻烦！"拓实倒也不好反驳。

两人乘电车到浅草桥，换乘总武线。时生上车后也不坐下，专心望着窗外。

"看什么呢？这么一本正经。"

"没什么，看看街景。"

"没什么特别的景色吧？"

电车一过隅田川，就见各种大大小小的建筑物鳞次栉比，空隙间则填着许多民居，毫无统一感，给人杂乱的印象。

"你为什么住在浅草呢？"时生问道。

"也没什么特别的理由。换了很多工作，逛了很多地方，最后就来到了浅草。"

"你挺喜欢那儿？"

"是啊，觉得不错。"拓实擦了一下人中，"那里的人都很有意思。"

"人情敦厚？"时生笑了。

"你也太单纯了，以为平民区就人情敦厚？要我说，没有哪儿比那里更要小心提防的了，那里的人个个居心叵测，平时都深藏不露，偶尔做些手脚，互相算计着过日子。就是这种小市民，得过且过，谁上当受骗了只能怨自己，人人都抱着这样的心态生活。"拓实歪了歪脑袋，"不过，说不定这就是真正的人情。想到即便被这人耍了也无可奈何，倒反而心里踏实。把别人都想得太好，也算不得人情。"

"真是个好地方，"时生又将视线转向窗外，"叫人有些羡慕！"

"这有什么可羡慕？我总有一天要住进高档住宅区，世田谷或田园调布，一掷千金，盖一座豪宅。"

"那就是你的梦想吧。"

"不止这些，还有更远大的呢，比如，买下土地房屋，然后租出去大把大把赚钱，你不觉得很爽吗？开着进口高级车到处兜风，再让身材火辣的外国美女陪着。"

时生频频注视着拓实："你也野心勃勃啊，嗯，也难怪，就是那么个时代。"

"你这是什么话？"

"啊，没什么。你就不想脚踏实地地挣钱吗？"

"如今的世道，脚踏实地就得受穷。虚张声势也好，故弄玄虚也好，押中大冷门就能赢。"

"可人生不仅仅是金钱啊。"

"瞎说什么？说到底就是金钱。现在的日本不是从战后的谷底重新站起来了吗？听说外国佬说咱们日本人是住在兔子窝里的工蜂，那只不过是嘴硬，对那些家伙，只要用成捆的钱抽他们耳光就行了。"

时生不知为何垂下了头，然后又转向窗口，开口道："日本的确会凭着这股干劲赚全世界的钱，至少还有十年经济繁荣的时间，人们开始斗富，铺张浪费。那都是枉然，能留下些什么呢？"

"这不正求之不得吗？"

时生摇摇头。"梦总是突然醒的，就像泡沫一般，越吹越大，最后啪地破灭，什么也没有，除了空虚。没有脚踏实地建立起来的东西，就无法形成精神和物质上的支撑。要到那时，日本人才会明白。"

"你在胡说什么？"

"我们失去的东西呀。从现在起再过十多年，谁都将失去重要的东西，包括你刚才说的人情。"

"别说得像真的一样，哪会有这种事！日本今后将不断地强大起来。能赶上这潮流的就是赢家。"

拓实握紧拳头在面前晃了晃。时生小声叹了口气，什么也没说。

到达锦系町时，霓虹灯都已亮起，紫罗兰的门上也挂着"营业中"的牌子。他们推开门走了进去。或许是时间还早，只有一个客人坐在吧台旁。妈妈桑坐在那人身边。螳螂脸调酒师对拓实他们露出客气的笑脸，可马上又板了起来。

"啊，是你们呀。"妈妈桑也显得无精打采。

"上次多谢了。"

"又来干吗？不是说过了吗？千鹤的事情我什么都不知道。"

妈妈桑这么一说，身旁的客人露出意外的表情看着拓实他们，那是个三十出头、面部轮廓分明的男子。"这两位是……"

"说是千鹤的朋友，正在找她呢。"

"哦。"那人露出颇感兴趣的眼神。

"你是谁？"拓实问道。

那人诡笑道："问别人的名字前，应该先自报家门。"

"那就算了吧。"拓实又转向妈妈桑，"你对那些人说我的事了？"

“你说谁呀？”

“少装蒜！星期六，我们走后来的那两个。他们也是来打听千鹤的吧？然后，你就把我的情况告诉了他们，不是吗？”

妈妈桑撇了撇嘴，叹了口气。“不行吗？我想你们都在找千鹤，说说也没什么关系。我这么热心，你该感谢我才是。”

拓实哼了一声，回头对时生说：“你听见了吧？她倒翻脸了。”

“没别的事就回去吧，要不也像这位客人一样，喝上一杯。来到营业的酒吧问东问西的，至少也得喝一杯吧。”

“有意思。喝就喝，你要是以为我们没钱，就大错特错了。”

“喂，拓实，”时生在后面拉了拉想摆阔的拓实，“别上她的当。”

“话都说了，还能收回吗？”拓实甩开他的手，瞪了调酒师一眼，“喂，干脆拿高档的来吧。”

“嘎，嘎！”螳螂脸调酒师睁大了眼睛，“高档的也有很多种，你要哪种？”

“这个……”拓实一时语塞，紧接着又道，“拿破仑，要拿破仑。”

“哦，哪一种？”

“拿破仑就是拿破仑呗！莫非这里没有这种高档酒？”拓实话一出口，调酒师就嘿嘿笑了起来，妈妈桑也忍俊不禁。

“笑什么？有什么好笑？”

时生从背后对他耳语道：“拿破仑是一种白兰地的牌子，不是酒的名称。”

“呃，是吗？”

“当然。连酒都不懂的小混混还充什么阔！”调酒师恶毒地说。

拓实觉得热血冲上脑袋，左拳已经举到胸前，只想马上跃过吧台。但是，他的手被时生拽住了。

“不行，拓实。”

"给他轩尼诗。"妈妈桑身边的客人开口了，"我请客。"

调酒师颇觉意外地说了声："是。"

"别多管闲事。"拓实对那人说道。

那人的嘴角浮出一丝笑意，却不是妈妈桑和调酒师那种令人恶心的嘲笑。"我想听到下文才请你喝酒，不用客气。"

调酒师在拓实面前放下一只酒杯，装模作样地斟上了白兰地。

拓实犹豫一下，将手伸向玻璃杯，刚将杯子端到嘴边，一股甘醇的浓香就钻进鼻子。他抿了一小口，含在口中。酒的滋味仿佛是那香气的结晶，令人舒心地刺激着舌头，并迅速扩散开来。

"和电气白兰不一样吧？"调酒师擦着杯子，饶有兴致地说。

"也没什么大不了的。"拓实嘴上这么说，手却握着酒杯不肯松开。

"虽是别人请客，我也算是店里的客人了，你得回答我的问题。"他对妈妈桑说道。

"我说过了，什么都不知道。"

"那些家伙是什么人？为什么要找千鹤？"

"他们是什么人我不知道。他们只问我千鹤的去向，不过目标好像不是她。"

"这我明白，是千鹤带着的什么东西，对吧？"

"东西？我没听说啊。"

"那你听说了些什么？"

"他们说起一个姓冈部的人，问那人是不是真的在千鹤身上花了好多钱。"

"冈部？这又是谁？"

"我们店里的客人。听上去他们要找的是冈部，好像是为了他才找千鹤的。"

"那个冈部是干什么的？"

妈妈桑摇了摇头。"很久了，听说是电话方面的工作，不知道具体干什么。"

"电话？"

"其实，我也在找冈部，"请客的男子说道，"所以来这里打听，他好像常来这家酒吧。刚听到一个叫千鹤的人，你们就闯进来了。但这样事情倒清楚了，似乎是冈部和千鹤一起跑掉了。"

"冈部是什么人？顺便也想问问，你是什么人？"

"这和你没关系。"

"是那伙人的同党？这样倒巧了，我正有东西要还给你们。"拓实从口袋里取出一个对折的信封，"这是我们保管的钱，转交给他们吧。"

那人脸上的笑容消失了，目光锐利地轮番看着信封和拓实的脸。"原来如此。付钱给你，要你去找千鹤。"

"这钱我们不需要了。"

"等等，我可不是付这笔钱的那伙人的同党。"那人将目光转向妈妈桑和调酒师，"结账吧。"

"我还没说完呢。"拓实道。

"我们出去另找个地方慢慢谈。"

"哎哟，就在这里谈好了。客人们还不会来，我们又那么守口如瓶。"妈妈桑热情地说道。她眼中藏着好奇。

"不想给你们添麻烦。"男子站起来，从上衣口袋中取出钱包。

出了酒吧，那人一言不发地朝车站方向走去，看样子不像在找咖啡店。走上大路后，那人停下脚步，回头看着他们。"不做个交易？"

"什么交易？"

"想必你有些寻找千鹤的线索。告诉我，我替你去找。如果我发现了千鹤的踪迹，肯定和你联系。"

拓实将双手插进口袋，看了时生一眼，又将视线移到那人身上。"你以为我会同意这样的交易？我连你是什么人都不知道。"

"我是因为工作才找人的，你不用担心。"

"理由呢？拿出令人信服的证据来。即便你拿得出，我也不打算委托他人去寻找千鹤。"

"哦。"那人点点头，又摸了摸鼻子，"要你相信我恐怕有点勉为其难。那么，能听听我的忠告吗？你们现在去找她，对你们不利。暂且忍耐一下，不要去找千鹤，时机到了我会通知你们，估计那时应该知道千鹤在哪里了。"

"这大叔又开始说莫名其妙的话了。"拓实用大拇指指着那人，对身后的时生说道。他对那男子摇了摇头。"到底有什么蹊跷我不知道，和我也没什么关系。我要找千鹤，谁也别想拦我。"

"你们轻举妄动，千鹤也会有危险。"

"既然说到这份儿上了，你就该把事情说清楚。"

那人似乎不想说，紧抿着嘴唇，盯着拓实。

"走吧。"拓实招呼了时生一声，抬腿就走。

"等等，我明白。"那人站在拓实面前，"很遗憾，现在我还不能说。总有能说的一天，但现在不行。"

"行啊，让开道吧。"

"我无法阻止你们，但有句话我要说在前面，可不能听给你们钱的那伙人的话，不要与他们有什么瓜葛。"

"不用你说，也不会和他们有瓜葛的，和你也一样。"

那人从口袋里掏出个本子，飞快地在上面写了些什么，然后撕下那一页，递了过来。上面写了些数字，好像是电话号码。

"这是什么玩意儿？"

"这个号码能找到我，有什么犯难的事就打电话。若知道了千鹤的下落，最好也立刻通知我。就叫我高仓吧。"

"高仓，下面自然是个健喽。"拓实随手将纸条扔到路上，"你要说的就是这些？"

那人叹了一口气。"如果可能，真想把你们两个关起来。"

"有本事就来试试啊。"

拓实对时生说声"走吧"，就迈开了脚步。这次那人没有阻拦。

"喂，有些不妙啊。"时生边走边说。他手里攥着拓实扔掉的纸条。

"你不说我也知道。可恶，千鹤怎么会和那小子一起消失呢？"

"我以为你会问那个高仓关于冈部的事呢。"

"那人不会说的，看模样就知道。再说，我们的目标是千鹤，我才不管什么冈部呢。不管怎么说，不论是石原裕次郎还是高仓健，都还没有确凿的线索，我们只要抢先一步找到千鹤就行。"

"明天就动身？"

"这还用说？还有什么理由磨蹭？"

其实，拓实眼下恨不得立刻出发。千鹤到底被卷入了什么事件，叫人全然摸不着头脑，只感到火药味越来越浓。拓实只想将她拖回来。

他们在锦系町车站附近吃了晚饭，回到公寓，见楼梯下站着一个高个子男人，留着髭须，看着还有些印象——是石原的手下。拓实想，来得正好。

"出门去了？"来人问道。

"有什么问题？我们也要吃吃饭、喝喝酒的，你来有什么事？"

"两天过去了，不知道有什么进展？"

"哈哈。是老板叫你来问的吧，真是个跑腿的大个儿。"

那人的脸颊猛地抽动了一下。拓实马上摆开架势准备反击，可那人并未动手。

"知道那女人在哪儿了吗？"

"关于这事，我有话要说在前头。"拓实取出放钱的信封，递到那人胸前，"钱还给你们。正好二十万，一个子儿也没花。"

"什么意思？"

"千鹤的事我死心了，不再找她，因此这钱也不需要了。对你们老大也说一声。"

"真的？"

"嗯，太麻烦了。这下两清了，以后别再跟着我们。"

拓实对时生使了个眼色，就上楼去了。那人抬头看着他，却没开口阻拦。

"难道这样他们就罢休了？"进了房间，时生担心地说道。

"不罢休又能怎样？我说不去找那女人了，他们也只好另想办法呗。准备一下明天的行装吧。"

其实没什么可准备，只是往一个旧运动包里塞了几件替换衣服和毛巾。时生来的时候就没什么像样的行李。

临睡前，他们又数了数身上的钱，大约还有十三万。两人各拿上一半。

"一人六万五千，这也没多少啊。"拓实望着钱包说道。

"本该是一人十万，都是你胡闹用掉的，才只剩下这么点。"

"知道了。我也反省过了，你就别老提这事了。我说，"拓实膝行着靠近时生，"上次我也问过，那样的好事真没有了吗？你还有什么瞒着我的？"

"什么？"

"像卡兹拉·海赛克那样的，还有吧？"

时生长叹一口气，摇了摇头。"你要问多少遍才肯死心啊。那一次也是偶然知道才用上了。我对赛马根本不感兴趣。"

"赛马不行，还有赛艇、赛自行车啊。"

"那更不行了。总而言之，那种事就没有第二次，别老指望了。"

"唉！一次性的好梦啊。"拓实和衣躺在硬邦邦的被子上。

时生关了灯。过了一会儿，他又嘀咕道："呃，有句话也许不该问。"他又顿了顿："算了，还是不说为妙。"

"怎么了？你还像个男人吗？快说！"

"噢，千鹤和冈部到底是什么关系啊？"

拓实坐了起来，扭向时生的方向。"你想说什么？"

"两人一起消失了，是吧，那不是私奔吗？要是这样，他们的关系……"

"胡扯！"黑暗中，拓实的牙齿白光一闪，"你是说千鹤三心二意？她可不是那样的人！"

"可——"

"其中必有什么蹊跷。你也应该知道，来路不明、形迹可疑的人一个个冒出来，这哪是什么简单的私奔？肯定是冈部这小子干了坏事要溜，把千鹤卷进去了。她本不愿意消失的。"

"是吗？"

"难道不是？"

"可她不是留了纸条？那是千鹤的字迹，没错吧？写着'再见'呢。所以，不管有什么蹊跷，千鹤从你面前消失，还是出于自己的意愿。说白了——"时生又停下了。

"说下去啊。"

黑暗中，拓实感觉到时生在深呼吸。

"说白了，你还是被甩了吧？"

拓实想反驳，随即又沉默不语。他自己最清楚，时生说得一点也没错。尽管如此，他还是哼了一声。"这件事不见到千鹤怎么搞得清楚！"

时生没有反驳，只是小声说："哦。"

拓实躺下，用毛毯蒙住了脑袋。

15

第二天，两人早早起床，直奔东京站。到达后，时生不住地打量四周。

"嗯，没什么大的变化，百货商场什么的都没有。"

"嘟囔什么呢？赶紧买票。"

拓实刚朝售票处走去，却被时生一把抓住胳膊。

"绿色窗口在这里。"

"绿色……要在那儿买？"

"还要先查一下有没有车次。"时生狡黠地笑了笑，望着拓实，"你该不会没坐过新干线吧？"

"啰唆！老出门的人，谁坐那个啊。"

"对不起。我去买吧。"时生独自前往绿色窗口。

拓实漫不经心地望着周围，今天是个工作日，旅客不多，身穿西装、精神抖擞的商务人士倒较为多见。他们个个发型整齐，手提着像是装有重要文件的公文包，走起路来也比一般人要快。想必他们就是以这样的气势穿梭在日本各地，不，世界各地。其中年龄与拓实相仿的也不在少数。

我连像样的旅行都没有过啊！拓实觉得自己似乎被社会抛弃了。

时生回来了。"车次太少了，真令人吃惊。'希望'① 也没有。"

"没有希望？什么意思？"

"啊，没什么。给你车票，特快票和乘车票。"

"辛苦了。"

"还有时间，买盒饭吧。"

拓实跟在迈开脚步的时生身后。看着车票，他发现了一件事。

"喂，等等。"

"怎么了？"

"这车票只到名古屋？我们的目的地可是大阪啊。"

时生转过身来，双手叉腰道："你不是答应去东条女士家吗？"

"去啊。可先得找到千鹤，这可是争分夺秒的事，你明不明白？"

"即便到了大阪，也不可能马上找到她，还是把该做的事先了结为好。又不费多少时间，顶多半天罢了。"

"开什么玩笑？现在这样的局面，能浪费半天吗？把车票改成去大阪的。"拓实刚要朝绿色窗口走去，马上又停下脚步，将车票往时生面前一递，"去改成到大阪的。"

时生伤心地皱着眉。"半天不行，三个小时也可以呀。除去从名古屋车站到那儿往返的时间，真正能和东条女士见面的时间只有一小时。这也不行吗？"

"既然这么想见，你一个人去见她就行了。你可能想借此了解一些自己的来历，我可不想知道什么。"

"这怎么行？这可不行啊。"时生猛地搔头，将头发都抓乱了。

"怎么回事？你到底为什么非要我去见那个老太婆？"

"你的人生会因此而改变，我知道会改变。"

---

① 1992 年开始在东海道山阳新干线运营的特快列车。

"简直是发昏！猜中比赛，就真以为自己是预言家了？"拓实朝绿色窗口走去。

"你现在见了她，"时生在他身边说道，"总有一天你会说'多亏那时见了亲生母亲'，你还会对你儿子这么说的，会两眼放光、自豪地这么说。"

拓实站住了。他回过头，恰好与时生四目相对，时生将嘴唇抿成了一条线。

一股莫名其妙的感情涌向拓实的胸口，与时生叫他赌马时的感觉一模一样。并且，和那时一样，拓实仍无法抗拒这波浪潮。

"三十分钟。"他说，"只见她三十分钟，再多我决不答应。"

时生脸上绽开了放心的神情。

"谢谢！"这个具有魔力的青年向拓实低头致谢。

16

　　下了"光"号列车后，拓实在名古屋车站的月台上伸了个大大的懒腰。"啊，已经到名古屋啦，只是一转眼的工夫。到底是新干线，就是快。看看钟，从东京出发才过了两个小时嘛。"

　　"别那么大声嚷嚷，被人听见了害不害臊？"时生皱起眉头，小声道，"刚才在车上就快啊快的，还没说够？"

　　"怎么了，说快的东西快，有什么不对？"

　　"没什么不对，但也别嚷得太起劲。还说车上的售货小姐的裙子短什么的，不停傻笑。"

　　"嗯，那姐的腿长得真好看，就是有些不爱理人，我不太喜欢。不过从她手里买的鳗鱼饭味道不错，回去时还要买。"

　　"如果回去时还有钱坐新干线——"

　　时生迈开大步朝前走，拓实急忙跟上。时生在宽敞的车站内毫不迟疑地朝前走，通道两旁都是摆满了当地特产的小店铺。

　　"噢，在卖外郎米粉糕呢。"

　　"名古屋的特产嘛。"时生脸冲前方答道。

　　"卖扁面的店也有啊，扁面好像也是名古屋的特产。喂，既然来了，就吃点吧。"

"刚才不是吃过鳗鱼饭了吗？"

"不相干的。这和女人吃了饭还要吃甜食一个道理。"

时生停下脚步，倏地转过身，直直地看着拓实的脸。拓实不由自主地避开了他的目光。最近老是被他这么盯着，拓实总是抬不起头。

"拓实，你是在逃避吧？"

"逃避？胡说！我逃避什么？"

"和生母见面。你总想将这事往后拖。"

时生叹了口气，将目光转向一旁的特产店，忽然"啊"地叫了一声，皱起了眉头。

"怎么了？"

"忘记买特产了。东京车站的小店里不是卖东京特产吗？人形烧什么的。太粗心了。"

"用不着。东条家就是做糕点的，哪有带糕点去糕点店的？"

"你还是不懂啊。正因为是做糕点的，才特别留意别处的特产。雷门的栗粉羊羹什么的，他们肯定喜欢。"

"没必要让他们喜欢，走吧。"

这次是拓实迈开了脚步，可没走几步，他不得不又站住了。"喂，从这儿怎么走啊？"

"看看地址，那封信没带着？"

"哦，那个呀。"

拓实从上衣口袋里取出对折的信封。那是东条须美子的继女淳子寄来的，背面写着地址。

"呃，名古屋市 NETUTA 区……"

"NETUTA 区？是 ATUTA 区吧。"[①]

---

①日语中的"热"字发音可以是"NETU"也可以是"ATU"，但在"热田区"这个地名中念"ATU"。

“是吗？反正就是那里。”

“那么只要到热田站或神宫前站就行了。坐名铁去比较方便，在这边。”

时生用大拇指指了指方向，快步朝那边走去。

名铁的车票也是时生买的。拓实也看了路线图，可除了自己在名古屋以外，什么都没看懂。该走哪条路线？该到哪儿？他一无所知。时生已将买来的车票塞到他手里。

“你去过东条家？”

“没有。”

“怎么那么熟悉？”

“名古屋我以前来过几次。快走吧。”

名铁名古屋车站的月台有些与众不同。电车的方向分了许多枝节，可基本只有上行和下行两种。若不认准去向，就可能前往错误的地方。电车的停车位置也因去向而不同，若不明就里，可能会排着队等待很久，却发现并未对准车门，对这些必须要适应。拓实紧跟着时生，倒也顺利地上了电车。时生说他来过名古屋，看来倒是真的。

电车里人不多，他们就坐了可坐四人的面对面的靠背椅。拓实将胳膊搁在窗框上，手撑着下巴，看着外边流动的景色。

“在新干线中看到的净是些旱田、水田，这一带倒挺开阔。”

“浓尾平原相当辽阔啊，拓实。看，知道这个怎么读吗？”

时生指着一处贴在墙上的广告上印刷的地址。他的食指正放在“知立”这两个字上。

“什么呀？这是。CHIDACHI？ CHIRITU？”

时生得意地笑了。

“这读作 CHIRYUU。有点难吧？在古代还要难哩，写作‘鲤鲋’。

或许是那里鲤鱼、鲫鱼很多吧。①但据说那样太难了，才改成现在这样的汉字。"

"哦，既然要改，就干脆改成好认的字多好啊。对了，这种鸡毛蒜皮的事情你知道的真多，都是听谁说的？"

时生一度神情庄重，随即又露出笑容。"是父亲教我的。常和父亲来这一带。"

"又是他，是那个叫木拓的家伙吧。你老爸的老家就在这一带？"

"不，不是的。"时生低下了头，不知为何言语含糊起来。随后，他又扬起了脸。"父亲喜欢这一带，经常带我来，估计这里有他的回忆。"

"哦，那倒不错。"拓实不关心这些，但忽然又想起了什么，问道，"你老爸想必是为了见东条老太婆才来这儿的。说我和你有血缘关系的，也是你老爸？"

"不是。"

时生一时沉默不语，拓实也无心追问，再度看起了窗外的景色。外面工厂的屋顶很多。他想起名古屋是有名的工业城市。

"我有一个建议，"时生开口道，"说是请求更恰当。"

"你这么说话的时候，准没什么好事。"

"我觉得不会给你添麻烦。"

"行了，行了。什么事？说吧。"

"嗯……我的事暂时不和东条家的人讲明为好。事情太复杂了，我也想独自调整一下。"

"什么？我就是为了弄清和你的关系，才来到这里的。"

"如果能弄清楚才是碰巧呢。这次来，最重要的是让你与生身母亲见面。我的事以后再说。"

---

①在日文汉字中，"鮒"意为"鲫鱼"。

"怪人。是你说要调查一下自己出生的事嘛。行啊，我不说就是。可又该怎么介绍你呢？"

"就说是朋友，不行吗？"

"无所谓。就算是朋友吧。"

拓实松开支着下巴的胳膊，搔了搔后脑勺。"朋友"的说法使他有些不安。他想起自己已很久没有这种亲密关系了。他一直抱着"对熟悉的人也不推心置腹"的生活态度。

在神宫前车站下了车，时生拿着那封信跑进了附近的派出所。拓实只好也跟进去。令人惊讶的是，那里的警察居然知道东条家。

"顺这条路一直走，有座热田神宫，过了那儿……"一个长相忠厚的中年警察特意走出派出所，给他们指路。

他们按指点来到有成排的木结构房屋的居民区。街上的行人虽也不少，却有一种闲适安详的氛围。临街开着一家古风犹存的和式糕点店，藏青色的门帘上清楚地印着"春庵"二字。

"好像就是那儿。"时生说。

"看样子不错。"拓实直往后缩。

"怎么了？进去啊。"

"等一会儿。先抽支烟可以吧。"

拓实取出一盒艾古，叼上一支，用一百元一个的廉价打火机点燃，冲着白云喷了口烟。一个家庭主妇模样的人警觉地用余光看着他们俩，走了过去。

拓实看了一眼玩弹子得来的廉价手表，快下午一点了。"不能保证那人在家吧？"

"信上写着卧床不起，估计在家。"

"可也不知道情况怎样，我们贸然闯进去，说不定会给对方添麻烦。"

"现在又说这样的话，当初说不愿事先打电话的不就是你？人家还特意写了电话号码。"

"我讨厌让人家严阵以待、如临大敌。"

"所以才没打电话就来了嘛。别再说了，走吧。烟不是也抽过了？"

时生上前，从拓实嘴上将快燃尽的香烟夺了过来，扔在路边，用运动鞋踩灭。

"乱扔烟头不好。"

"那就别在这儿抽啊。"

时生说了声"走吧"，在拓实背上推了一把。拓实这才不情愿地跨出了沉重的第一步。

门帘后面比想象中的还要暗。木框陈列柜里摆着和式糕点。陈列柜后有两个身穿白大褂、头扎三角头巾的女店员，屋子更深处有一个身穿和服的女子在办公。

一个店员正在招待一位穿着颇有品位的女客，另一个对拓实鞠了一躬，说："欢迎光临。"估计她心里在想，这位客人走错地方了，可脸上一点也没显露出来。但她马上就露出了诧异的神情，因为拓实直挺挺地站着，一言不发。

时生捅了捅他的侧腹，拓实也想说些什么，可说不出口。他不知道该怎么自报家门。

时生实在忍不住了，就问道："请问东条女士在家吗？"

里屋的和服女子闻声抬头看向他们，那是个三十来岁的瘦弱女子，挽着发髻，戴着金丝边眼镜。她容貌质朴，但只要改一下化妆方法，似乎立刻就能变成一个美人。

"请问找东条家的哪位……"说到这里，她的嘴唇就不动了，目光落在拓实身上。接着，她似乎吸了口气，又开口道："该不是……拓实先生？"

拓实看了时生一眼，又将视线移回那女子脸上，撅起下巴使劲点了点头。

"果然……特意赶来了。"

"不，说不上是'特意'，是被这家伙催得烦了……"

那妇人似乎没听见拓实的话。她走到店堂里，说："那么，这边请。"像是要将他们引入内室。

"请问，您是……"时生问道。

她好像刚回过神似的眨了眨眼睛，低下头。"不好意思。我是淳子。东条淳子。"

拓实听了，又与时生对视一眼。

在淳子的引导下，两人到了里面。店后似乎是正房。她并没进房间，只是沿着走廊向前走。不久，眼前出现了一个收拾得整整齐齐的院子。他们边走边侧目望着院子。

"请在这儿稍等。"

他们被领进一间茶室。这里约有四叠半大小，照样有个壁龛。

东条淳子退出后，两人盘腿坐在榻榻米上。

"行啊。能有这种厢房，说明土地很多。"

"这宅子有些历史。和式糕点以前是奢侈品，说不定那时会邀请当地权贵的夫人开个茶会什么的，现场推出一些新式糕点。"

"嗯。你年纪轻轻，这种事倒知道不少。"

时生笑着搔了搔头。

拓实拉开糊纸的拉门，朝院中望去，看见一个长了青苔的石灯笼。想必东条须美子就在这豪宅中悠闲地打发着日子。一想到这女人因贫困而扔掉了襁褓中的婴儿，在这带有茶室的豪宅中过着奢侈的生活，如今又重病缠身、卧床不起，拓实心中只浮起四个字——自作自受。

他取出香烟。

"这种地方只怕不准抽烟。"时生道。

117

"什么？茶室就是咖啡店一类的地方，不是放着烟灰缸吗？"拓实将放在壁龛里的一个贝壳状陶器拿到身边。

"这是放香的器皿啊。"

"那有什么？洗洗不就行了？"拓实点燃烟，将烟灰抖进陶器。

"这家的财产真不少啊。"

"也许吧。"

有什么了不起！拓实暗骂。

"就看你的态度了，这财产也有可能到你手里。"

"哪有这种事？昏头了？"拓实冲着时生的脸喷了一口烟。

时生挥手驱散烟雾，说道："从信上看，店主已经过世，现在的主人就是东条美须子。不管怎样，你是她亲生儿子，理所当然有继承权。"

"不是有刚才那人吗？叫东条淳子的。"

"她自然也有份啊，但也有几成会转到你名下。这得好好查查《民法》。"

"不用查了。谁要那女人的什么遗产！"

在贝壳中掐灭烟头时，拓实想，自己要是再坏一点……

如果真是那样，或许就会略施小计，侵吞这家的财产。不，也不必是坏人，只要自己对东条须美子的憎恨再强烈一点，或许就会那样。反过来，自己不会那么想，说明自己太马虎了。拓实不觉焦躁起来。

"这就是你的长处。"时生说。

"啊？"

"细小的地方斤斤计较，关键时刻不胡来。这就是你的性格。"

"胡说什么？"时生似乎看透了他的内心才这么说的，令他十分狼狈。他想借抽烟来掩饰，可烟盒已空空如也。他将烟盒捏作一团，朝壁龛扔去。

这时，传来有人走动的声音。一声"打扰了"，拉门被拉开，东条淳子走进来，坐在两人面前。她瞟了一眼放着烟蒂的贝壳，并未显出很在意的神情。

"我跟母亲说了拓实先生的事，她说一定要见一见，您看可以吗？"

特地来到这里，自然不能说不见。再说，她用这种语气询问，估计已经知道自己以前的偏执。拓实搔搔脸，看看时生。他不想去。明知事到如今已无法逃避，他仍不肯爽快地应允。

"怎么？别装模作样了。"时生失望地说道。

"谁装模作样了！"

他将脸转向东条淳子，轻轻点了点头。

"非常感谢。"淳子低头说道，"但在去见母亲之前，有几句话要先交代一下。在信上也写了，母亲在生病，因此模样多少有些不雅，还请原谅。"

"情况很不好吗？"时生问道。

"听医生说，随时都有可能离开人世。"东条淳子腰背挺得笔直，语气毫无变化。

"得的是什么病？"

拓实看了看时生，心想，多管闲事！

"头内部有个大血块，无法动手术取出。血块越来越大，影响了大脑的功能，令人惊讶她是怎么熬过来的。实际上，母亲最近几乎都处于昏睡状态，几天不睁眼已是常有的事。今天能清醒过来真是奇迹，或许是感应到拓实先生要来的缘故吧。"

哪有这种事！拓实在心中嘟囔道。

"那么，请拓实先生随我来吧。"淳子站起身来。

"这家伙也一起去，可以吗？"拓实指着时生，说道。

淳子面露难色，沉默不语，拓实又说："他是我的好朋友，刚才我也说过，要不是他老催着，我还不来呢。如果他不能一起进去，我就回去了。"

"拓实，我……"

"你给我闭嘴！"拓实吼了一声，看着东条淳子。

她垂下眼帘，点了点头。"知道了。两位请吧。"

拓实和时生跟在淳子身后，沿回廊走去，但和来路不同。拓实心下诧异，这房子到底有多大呀。

不一会儿，他们来到回廊尽头的一个房间。东条淳子将门拉开一条细缝，向里边通报。"拓实先生来了。"

里面没有回应。或许有，但没传进拓实的耳朵。

东条淳子回头向拓实道："请进。"

她将门拉开。

17

最早映入拓实眼帘的是打点滴的器具，旁边有个矮小、微胖的妇人，穿着短袖白大褂。

接着，他看到了被褥。白衣女人就坐在枕头边。被褥上躺着另一名妇人。白衣女人正注视着病人的脸。

病人双眼紧闭，脸颊瘦削，眼窝深陷，灰色的皮肤毫无光泽，乍看像个老太婆。

"请坐。"

东条淳子在被褥前放了两个坐垫。然而，拓实没有上前的意思，在房门附近端正地坐下。淳子也没说什么。

"这是我母亲东条须美子。"

拓实默不作声地点了点头。他无话可说。

"又睡着了吗？"东条淳子问白衣女人。

"刚才还清醒着呢。"

东条淳子膝行至枕边，将嘴凑到须美子耳边。"妈，听得见吗？拓实来了，是拓实。"

须美子的脸一动不动，像已死去一般。

"对不起。最近老这样。刚清醒过来，马上又神志不清。"东条淳子向拓实致歉。

"那就算了吧。"拓实说道。他自己也觉得语气很冷。

"对不起，能再留一会儿吗？有时她会突然清醒。"

"稍微再待一会儿也行，但我们也不是没事干，是吧？"他征求时生的同意。

"有什么不行？来都来了。"时生用训斥般的口吻说道。

"拜托了。如果见不到您，母亲日后肯定会伤心的。"

拓实摸了摸后颈，心想，还从未被人这样恳求过呢。

"已经很久了？"他问道。

"啊？"

"变成这样后——是叫卧床不起吧？"

"哦。"东条淳子望着白衣女人问道，"有多长时间了？"

"最早躺倒是在刚过年的时候，然后就住院了。"那人扳着手指算了算，"三个月了。"

"是啊，从三月份开始的嘛。"东条淳子看着拓实点了点头。拓实心下暗道，就算她死了，自己也不要说什么同情的话。

"幸亏是在这个家里啊。"

"您是说……"

"一般的家庭哪有条件这么看护呢？既没有能让病人长期静养的房间，也雇不起专人护理。所以，怎么说来着？叫不幸中的万幸，还是有钱好啊。"

想发火你就发吧——拓实盯着东条淳子。然而，她眨了几下眼睛，却轻轻地点了点头。"或许也可以这么说吧。不过，从本质上说，能做到这样，也多亏了母亲的本事啊。"

拓实皱起了眉头，他不太懂这句话的意思。淳子似乎看出了他的疑惑，接着说道："拓实先生，您以为母亲嫁到老字号的和式糕点店享福来了，对吧？您这样想就大错特错了。母亲来的时候，我们正面临破产、债台高筑，招牌也快保不住了。想降低成本，可事关品牌，不能以次充好。再说，那些自尊心极强的老师傅也不答应，真是随时都有倒闭的可能。我们家里的境况相当窘迫。可这些事父亲在母亲面前提都没提，只是一味地虚张声势，迎娶年轻的继室。可以说母亲是被骗来的。从小娇生惯养的父亲根本没有挽救店铺和家庭的才能，就像茫然地看着船下沉一样。"

"想必是奶……须美子夫人挽救了这一切。"时生插嘴道。

东条淳子点点头。

"那时我已经十岁了，记得很清楚。母亲只在一开始觉得有些吃惊，但似乎很快就调整了心态。她从紧缩伙食开销着手，然后又节约杂费、煤电费。父亲从不知道节约，当时对此相当抵触。不久，母亲更做起了家庭副业，尽力贴补家用。这时，她遭到店员的攻击，说老板娘做家庭副业，令老字号颜面扫地。于是，母亲就到店里去帮工，从粗活开始，一直做到掌柜的助手。慢慢了解店里的情况后，她出了不少点子，改变原料的采购方法，又在宣传上下功夫。估计她本就有经商的天分，是个能想出少投入、多产出的方法的专家。当然，她不光动脑筋，也身体力行。她创出的新式点心有很多至今仍很畅销。一些刚开始不把她放在眼里的店员，渐渐地也听她的话了。从那时起，春庵起死回生了。"

拓实怀着复杂的心情听着东条淳子的叙述。原来须美子就是在这种状况下给宫本家寄拓实的抚养费。这个事实令他惊诧，可一种绝不感谢的念头在他心中筑起了屏障。

"对令尊而言，再婚是完全正确的。"时生说。

东条淳子嫣然一笑。"正是。父亲一无所长，一生最大的功绩就在于此。"

"真是个伟大的女子。"

"因此，"她看着拓实说道，"我们为母亲做这些事，都是理所当然的。这位吉江大婶，"她看了一眼白衣女人，"根本不是什么护士。她原来在店里干活，母亲成了这样，她自愿提出一定要来照顾。"

"夫人对我的照应是无法用言语表达的。"吉江的话中饱含着由衷的感情。

拓实低下头看着榻榻米。这些话他都不想听。人人都在赞扬须美子，可她对自己来说是可恨的女人，这一点不会改变。

"我服了。真是杰作啊。"

说了这一句，他立刻感觉到大家都要开口询问。

"难道不是吗？我就是因贫穷才被扔掉的，随后在毫不相干的家庭里被养大，最后一无所有。扔掉我的人却为别人的贫困而拼命，因拼命工作而受人感激，被当成救命菩萨一样。扔掉婴儿的女人被当成了菩萨。"他想扮个笑脸，又觉得脸颊有些僵硬，但仍不愿罢休，"真是个笑话，本世纪最好笑的笑话。"

东条淳子吸了口气，嘴唇微动，想说些什么。就在这时——

"啊，夫人。"吉江小声叫了起来。

东条须美子脸上的肌肉微微动了动，睁开了眼睛。

18

"妈妈。"东条淳子喊道。

须美子睁开眼睛眨了眨，扭了扭脖子，像是要找什么东西。

"妈妈，你知道吗？拓实先生来看你了。他就在这里。"

须美子的视线迟疑了一会儿，落在拓实脸上。拓实咬紧牙关承受着她的目光。

她牵动着消瘦的脸，张开嘴唇，漏出气息，像是要说些什么，却没发出一点声音。

"啊？你说什么？"东条淳子把脸凑近须美子嘴边。

"是啊，是拓实来了。是特意央他来的。"淳子回头转向拓实："您再靠近一点吧，她看不清。"

可拓实一动不动。他不想为这个可恨的女人做任何事情。其实，他也动弹不得，东条须美子的气势将他压住了。

"拓实……"时生叫他，他置若罔闻。

拓实站起身，俯视着须美子。"我……我可没有原谅你。"他极力克制着感情，慢慢说道，"我来只是想告诉你，我并不是你的孩子。"

"拓实先生，您别这样。"淳子哀求道。

"是啊，别冲动，先坐下来再说。"时生也劝道。

"烦不烦啊！我就是答应了你，才一直耐着性子。现在和这个老太婆也见过面了，够意思了吧？还想要我怎样？"

就在这时，须美子的呼吸急促起来。她张开嘴，大口喘着气，凹陷的眼睛瞪得老大。

"啊呀，不好了！"吉江发出惊呼的同时，须美子的嘴角冒出白沫，她翻起白眼，皮肤开始发黑，紧接着身体抽搐起来。淳子急忙扑到被子上，将她紧紧压住。

时生站起身想过去，拓实一把摁住他的肩膀。"别管她。"

"她很危险啊。"

"你过去又有什么用？"

"或许能帮上什么忙。"

"不用了，没事。"东条淳子说，"经常这样，让她安定一会儿就好了。"

时生抬头望着拓实道："你就不能靠近一些吗？她病着呢。"

"对病人就什么都可以原谅？"

"话不是这么说。"

"闭嘴！别来烦我。"

拓实重新打量着须美子。在两个女人的照料下，她当初执掌宫本家时的风光早已荡然无存。发作似乎已基本平息，白沫的痕迹还粘在她唇边。

拓实一转身，拉开拉门，在跨进走廊之前又转过身，说了声："报应！"随即离去。

他毫无目的地走着，来到春庵店门前，将包放在路边，坐在上面。

过了一会儿，时生也跑了出来。

"你怎么这样？不觉得太孩子气吗？"他无可奈何地说。

"答应的事我都做了。接下来就是去大阪，不会叫你抱怨的。"

时生没有点头，只叹了口气。拓实站起身，独自离去。不一会儿，时生默默地跟了上去。

在神宫前车站买了去名古屋车站的车票后，时生才开口道："难道就这样了？"

"你想怎样？"

"我觉得你们应该好好谈谈，她也是不得已才离开你的。"

"你别总帮她说话。你这么在意她，干脆留下来，我一个人走好了。"

"我留下有什么用？"说到这里，时生忽然停了下来，望着拓实背后。拓实扭过头，看到东条淳子正快步走来。她似乎是开车赶来的，怀中还抱着一个小包裹。

"啊，还好，让我赶上了。"她望着拓实一笑。

这表情完全出乎拓实意料，一时竟不知应如何回答。

"扔下她一个人没事吗？"他问道。

"有吉江看着呢，没事。今天您特意赶来，真是太感谢了。"她向拓实低下了头。

拓实摸了摸后脖颈，说道："听起来像是在骂我。"

"想哪儿去了！信上不也写了吗？只要露一下面就行。还以为您不会来呢。"

"你赶来就是为了说这些？"

"这是其一，还有一件大事呢。"说着，她解开包裹，"要将这个交给您。"她递过一本书，一本手绘漫画，封面上用彩色铅笔画着坐在方形盒子上的少男少女。笔触颇有些手冢治虫的风格，相当有水平。最引人注目的还在于那书的陈旧。纸都已经变质，似乎一碰就要破碎，边缘处已斑斑驳驳。

"这是什么？"

"母亲交代的，说是拓实先生来了就交给他，因为她可能无法亲手递交了。"

"我拿了这个又有什么意义？看起来是谁画的漫画，可为什么要给我呢？"

东条淳子眨了眨眼睛，微微偏了一下脑袋。"这个我也不明白，母亲没说过。但这东西对她来说确实很重要。我看见她常常看这个。估计对您来说，它也是非常重要的。"

拓实伸手接过。书名是《空中教室》，四方的盒子似乎代表教室。作者叫爪冢梦作男，没听说过。

"收下这个莫名其妙的东西有什么用呢？"

"别这么说，请收下吧。如果您不要，处理掉也行。"

"可……"

"有什么不行的？不就是这么一点东西？"时生在身旁说道，"又不占地方。如果你不要，我收下好了。"

拓实看了一眼时生，又将视线移回东条淳子脸上，见她点了一下头。

"以后可不能讨还哦，可能会被我扔掉。"

"悉听尊便。"

"那我就收下吧。"他将漫画塞进包里，"我们该走了。"

电车快要进站了。

"耽搁了你们，不好意思。如果以后再来的话……"说到这里，她摇了摇头，微微一笑，"不说了，多保重。"

拓实没有回答，转向时生说了声"走了"，就扔下不知还在犹豫什么的时生，过了检票口。

"拓实先生。"背后传来东条淳子的声音。

拓实停下脚步，转过头。淳子像在调整呼吸，胸脯上下起伏着说道："母亲在稍好一些的时候曾对我说过，这个病是报应，应得的报应。"

拓实感到胸中有什么东西凝结成块，他将其咽了下去，紧抿着嘴唇对淳子鞠了一躬，又迈开脚步。

19

从名古屋再往前，就不坐新干线，而是乘坐近铁特快了。那要便宜得多，也仅需约一小时，与新干线差不了多少。拓实还知道，车内的舒适程度也毫不逊色。

时生专心地看着东条淳子给的那本手绘漫画，不时说上一句"这幅画真棒，拓实你也看看"，摊开画页给他看。拓实挥挥手，不加理会。他对自己说，要把须美子的事快些忘掉。

从时生的随口介绍中得知，《空中教室》是一本异想天开的科幻漫画，描述一所学校在毫不知情的情况下建在宇宙人的遗迹上，一部分竟脱离了重力的作用浮上了天空，并周游世界。拓实顿时联想起《突然出现的葫芦岛》，一部小时候看过的 NHK 的木偶剧。

近铁特快的终点是难波站。不知何时，电车钻到了地下。出了检票口，走上一长段台阶，可还是在热闹的地下街道中。

"这是什么地方？根本辨不清方向。"拓实环视周围。

"你知道千鹤在哪儿吗？"

"这不正是我们接下来要调查的？"

"怎么查？"

"你跟着我就行了。"

在这个叫"虹都"的地下商业街的入口附近，有一排公用电话。拓实走近空着的一部，随手拿过附带的电话簿，翻到饮食店页面。

"要找一家叫'BOMBA'的店，听说千鹤的死党在那儿打工。千鹤要是来大阪，估计会去找她。"

"BOMBA？"

"东京轰炸机（TOKYO BOMBERS）的BOMBA。你连这个都不知道？看过'溜冰打斗'[①]吧？还有'纽约狂徒'什么的。"

时生露出莫名其妙的神情摇了摇头。拓实哼了一声，眼睛又转向电话簿。幸好叫BOMBA的酒吧只有一家。拓实想记下电话号码和地址，却发觉自己没带纸笔，便毫不犹豫地将那一页撕了下来。

"哇，别乱来，别人还怎么查啊？"

"还有谁会需要这一页？别管那么多了，还是帮我看看这地名怎么念，怪长的。"

"不就是宗右卫门町吗？"

"宗右卫门町？哼，在哪儿？"

"买张地图吧。"

他们在虹都的小书店里买了张大阪地图，进了隔壁的乌冬面店。店里充满鲣鱼汤的香味。看见有炸豆腐乌冬面加两个饭团售价四百五十元的套餐，两人就都点了这个。

"宗右卫门町不就在附近吗？走过去也费不了多少时间。"拓实将地图铺在桌上，边嚼乌冬面边说。这面名不虚传，汤的颜色很浅，味道却一点也不淡，只是炸豆腐的味道让他觉得不过瘾。

"你知道千鹤朋友的名字吗？"时生问道。

"应该是叫竹子。"

[①]当时的一个综艺节目，"东京轰炸机"为"溜冰打斗"游戏的队名。

"竹子？真名？"

"应该是，这要是艺名也太土了。"

"那个酒吧是什么样的？如果是特别高档的会所之类的怎么办？我们这身行头去，还不得被轰出来啊。"时生穿着牛仔裤、T恤和短风衣，拓实则是皱巴巴的长裤加廉价夹克。

"噢……这倒没考虑到。不过，千鹤的死党打工的地方，估计也就是紫罗兰那种档次。"

"那里虽在东京，也只是锦系町，这里可是大阪的繁华区域啊。"

"到时再说吧，那也只好去旧衣店买套西装什么的。"

他在心里还加了一句——如果这个地方有旧衣店的话。在浅草有好几家呢。想到这里，他发现今天早晨才离开东京，现在竟然已开始怀念了。

也不知时生对什么感兴趣，他翻开地图的另一页，突然叫了一声："啊，就是这里。"他停下手中的筷子。

"发现什么了？"

"刚才的漫画再给我看一下。"

"怎么了？等会儿再看。"

"现在就看，我自己拿吧。"时生径自打开了拓实的手提包。

拓实一副漠不关心的样子，大口吃着饭团。他不知道那本漫画有什么意思，但已决定，即便为了赌气，也不会对它有兴趣，打算随便找个地方扔掉。

"还真是这样。拓实，你看这儿。"

"烦不烦啊！随它去吧。"

"不是，这肯定和你有关系。"说着，时生翻开漫画给他看。

"什么呀？真麻烦。"

"看这儿，写着地址呢。"

时生指着的那一页上画着两个小学生模样的孩子在路边拣石子。然而，时生指的不是他们，而是他们身后的电线杆，地名牌上写着"生野区高江"等字样。"估计作者的家在这附近，而生野区就在这一带。"时生指着地图上的某一部分。确实，那里写着生野区。

"嗯，那又怎样？"

"东条须美子要将这本漫画交给你，肯定是有什么用意，似乎和你的身世有关。"

"我的身世就是被那个臭女人扔掉，被东京的宫本夫妇拾了去。仅此而已。"

时生一听就翻起眼珠看着拓实，眼中有一种平时没有的真挚光芒。

"你也注意到了，却故意避开。"

"莫名其妙。我避开什么了？"

时生合上了漫画。"东条须美子要把这个交给你，是含有某种信息的，而她要传达的信息只有一个。"

"什么？"

"你明知故问。"时生摇摇头，"你父亲呗。这是要告诉你，你父亲是谁。"他指了指漫画的封面，"爪冢梦作男。画这本漫画的人就是你父亲。"

拓实扔掉了手中的筷子。碗里还有鲜美的汤和几根白色的乌冬面，但他已无心再吃下去。时生的话可谓一针见血。自从东条淳子拿出漫画，并且知道是手绘漫画时，他便想到了爪冢梦作男与自己的关系，但随即又抛开了这个念头，不再细想。

"我没有什么父亲，要说有，也是把我养大的宫本。"

"你的心情我理解，但知道真相不也很重要吗？清楚真相后，再去怨恨或怎样不好吗？"

"事到如今，我已不想知道了。首先，怎么才能知道真相？叫爪冢梦作男这个古怪名字的人是谁，在哪儿，全都不知道。"

"所以要到这里去看看。"时生轻轻敲了敲漫画的封面，"到这漫画的背景地去看看。"

"去了也没用。"话音未落，拓实就后悔了，因为这句话显示出了他的关心。他急忙又加了一句："当然，我根本就没想去。"

"街道描绘得十分清晰，估计是照着附近的街道画的。看着这漫画走上一圈，肯定能发现什么，也可以问问老住户。问题是准确的地名，漫画上是生野区高江，这地图上没有高江这个地名，因此可能是虚构的，但肯定有作为原型的街道。"

"多事！我可没工夫听你胡说。"喝了口杯中的水，将面钱放在桌上，拓实站了起来。

拓实在店外等时生付账时，又将他的话回味了一番。弄清真相当然非常重要，拓实也曾想知道父亲是谁，但又无从着手，最后只好放弃。如此这般多次反复，这种愿望就被封存在心里了。如今封条被一层层打开，他因此不知所措。得到了漫画这把钥匙，他无法预料自己的心会飞到哪里，甚至感到惶恐。

然而——

不得不令人再次起疑，这个时生到底是什么人？为什么他比拓实更了解自己，能刺激到拓实内心最软弱的部分？他的言行总是会让拓实在某些方面清醒起来。说是有血缘关系，可东条家的人似乎并不认识他。莫非是父亲一方的？想到这里，拓实不由得一惊。或许是时生想找到这个爪冢梦作男。他说他父亲叫什么木村拓哉，又有多少可信度呢？

时生付完账走了出来。"久等了。"

拓实没对他提及刚才的想法。

出了地下街，他们走在戎桥筋上。这条街不太宽，来来往往的行人却很多。街道两旁净是些小店铺和带时髦店面的大楼，高档店与平民店混杂或许就是当地的特色之一。出了带拱廊的商业街，前方有一座桥。时生却转向桥前左侧的饭店，兴奋地嚷道："哇，螃蟹招牌啊，真大！"过了桥，他还向后面仰视，对格力高的巨大招牌发出惊叹。拓实只当没听见，将周围情形与记在脑中的地图相对照——不是来大阪观光的，现在必须先找到 BOMBA。

"别东张西望的，快走。"

"没这么紧急吧。既然来到大阪，就该尝尝烤章鱼，啊，那边有个排档。"

拓实打了一下时生指着排档的手。"小子！我找千鹤，你有什么不满吗？"

"没有啊。"

"那就闭嘴，好好跟着。我不是连名古屋都去过了吗？"

"知道了。"

拓实快步前行，心里觉得有些好笑。刚才的对话与两人到达名古屋车站时的态度正相反。

一踏入宗右卫门町，立刻有一些鬼鬼祟祟的人凑过来。

"东京来的？有好货，不玩玩吗？"

"两千，两千，只要两千。随便摸，随你怎么摸。"

低低的大阪腔很有感染力，拓实也稍稍有些动心，但转念一想，现在可不是寻欢作乐的时候。他赶紧摆手拒绝。

离热闹的大街稍远处有一幢楼，BOMBA 就在其中。这楼已相当陈旧，墙上有几条裂纹。BOMBA 在三层。电梯门开了，里面出来一对男女。男的身穿紫色西装，女的则一身红衣，两人身上都佩着金光闪闪的饰件。

"真前卫啊。"进电梯后，时生小声说道。

电梯门快要合上时，一个瘦男人慌慌张张地挤了进来，对他们微微低了低头，小声道："不好意思。"

到了三楼，只见狭窄的通道两旁挂着一排酒吧的招牌，怎么看也不像是高档会所，但另一种担忧开始变浓。

"这气氛可不太妙啊。"

"要把钱藏在内裤里吗？"

拓实这句话的意思，连时生也懂了。

"藏了也没用。"

前面第二家酒吧就是BOMBA。拓实深呼吸一下，打开了店门。

一个直直的吧台从门口伸到里面，靠门口和尽头处各坐着一个客人。吧台里面有两个女人，一个留短发，很瘦，另一个蓄长发，扎成马尾。短发的那个有点年纪了，看样子有三十五六岁，估计是妈妈桑。

两个女人露出意外的神情，看着他们，短头发很快露出殷勤的笑容。"欢迎光临。两位吗？"

"嗯。"拓实应了一声。在差不多是吧台中央的地方，他和时生坐了下来，要了啤酒。

"初次来这里吧，是谁介绍的？"短头发脸上还堆着笑容，可眼睛里分明潜伏着好奇和警惕的光芒。

"嗯，哦。"拓实含糊地点了点头，用小毛巾擦了擦手，"这里有叫竹子的吗？"

"竹子？啊……"短头发朝马尾看去。

"她呀，不干了。"马尾说道。

"咦？什么时候的事？"

"半年前吧。"

"哦，对，半年前就不干了。"短头发看着拓实说道，"说是家里有事，突然就走了。真遗憾，你们特意来了，却……"

真是出人意料。听千鹤说起竹子这个朋友，还是一个月之前的事。那么，竹子辞职一事连千鹤也不知道？

"知道她现在在哪儿吗？"先缠下去再说吧。

"这个嘛，"短头发歪了一下脑袋，"她本来就是临时的，来店里的时间也不太长，现在已经联系不上了。"

"是吗？"拓实叹了口气，抿了一口啤酒。见不到竹子，就失去了寻找千鹤的唯一线索，接下来该如何是好？

身边的时生倒在兴致勃勃地环视四周。墙上贴了些戏剧和音乐会的广告图片，或许有这方面的客人吧。

拓实叼上一支艾古。短头发伸过手，飞快地为他点燃。

"那么，最近有没有像我们这样来找竹子的人？估计是个年轻姑娘。"接着他又加了一句，"或许是和男人一起来的。"

"有吗？"短头发又转向马尾。

"我不记得。"对方甩了甩头发。

"哦。"短头发转向拓实，脸上的神情在说：就是这么回事。拓实只好默默地点点头。

"这是你吧。"时生突然开口了。他指着墙上的图片，像是女子摇滚组合，是一张放大的演出照。

"啊，是的。"马尾答道。

拓实也仔细看了看那图片。右边弹吉他的无疑是马尾，但照片中的她头发没扎起来，是披着的。

"哦，乐队名也叫 BOMBA 啊，是从店名来的吗？"

"嗯，当时觉得这个名字还不错。"

"但有些怪，是什么意思啊？"时生继续问道。

"不是对你说过吗？就是 TOKYO BOMBERS 的 BOMBA 呗。"稍稍有些焦躁的拓实插嘴道。"是吧？"他又问那两个女人。

马尾点点头。"是啊。"

"真的?"时生露出不解的神情,"谁起的?"

"我呀。"马尾答道。

拓实想说:净问这些不着边际的事干吗?管它取什么店名呢?该想想找到千鹤的办法!

喝光啤酒,他们站起身来,结账时倒没挨宰。

"能给一张名片吗?"时生问道。

短头发略感意外,但还是马上从吧台下取了出来,名片上印着"坂本清美"。

到了外面,拓实搔起头。"伤脑筋,找不到竹子,真是走投无路了。"

"我倒不觉得这样。"时生的语气冷静得要命。

拓实不由得紧盯着他的脸,问道:"什么意思?"

"竹子,找到了。"

"啊?"

时生用大拇指指了指刚走出的那幢楼。"那两个女子之一就是竹子,估计是马尾。"

拓实略仰了仰身子,看着时生的脸。"你怎么知道……"

"店名。我不知道什么TOKYO BOMBERS,估计是运动队的名字。那BOMBER的意思是轰炸机啊。别说乐队了,酒吧也不会取这样的名字。"

"可那女的说是这样啊。"

"所以她是在瞎说,不想说真正的含义罢了。广告图片上写的是BOMBA。轰炸机应该是BOMBER,没有BOMBA这个单词。"

"那又怎样?"

"将BOMBA的O和A掉换一下位置试试,再在后面添一个O。"

"变成什么了?"

"BAMBOO。"时生闭上一只眼睛,"在英语中是竹子的意思。"

20

他们在咖啡店里消磨到凌晨两点，然后回到 BOMBA 所在的那幢楼前。这时拉客的人倒没有了，但另一种形迹可疑的人开始转悠。如果与他们目光相接，不知会惹上什么麻烦，拓实尽量低下头，他也这样告诫时生。

坂本清美和扎着马尾的女子从楼中出来时已近凌晨三点。躲在大楼阴影处抽烟的拓实，一见她们出来就赶紧扔掉烟蒂并踩灭。时生向他投去责备的目光，他置之不理，迈开了脚步。

两个女人并排走着，拓实则尾随其后盯梢。小路很窄，但这时喝醉的客人仍很多，盯梢并不太难。那两人也根本没有要回头查看的意思。

上了大路，她们叫住一辆出租车。拓实跑了起来。那辆出租车正要开动，他也举手拦下了一辆。

"跟着前面那辆车。"拓实命令司机。

"你不知道要去哪儿啊。"中年司机说道。看出这趟差事有些麻烦，他的语气也很不起劲。

"不知道才让你跟着。少啰唆！照我说的做就行了。"拓实从斜后方看着司机的脸，见他面部肌肉很松弛。司机没再说话，可或许是心理作用，他似乎开得很粗野。

"对不起，这其中是有原因的。"时生说道。

有必要道歉吗？拓实以这样的眼神看了他一眼。

"应该是这样，到了这个时间还要跟踪南区的女人吗？"他似乎看到那两个女人上了前面的出租车。"但你们不像警察，连大阪人都不是，估计肯定有什么特殊情况，所以我才老老实实地听你们摆布。"

"不好意思，多谢了。"时生低头行礼，但司机是不可能看见的。时生又将视线转向拓实，像是在说"你也稍稍表示点歉意啊"，拓实自然是视若无睹。

前方出现了一个较大的十字路口，再往前开了一点，前面那辆出租车就靠向左边了，①刹车灯亮了起来。

"还没怎么跑就到了终点了？"司机有些扫兴。

"这里是什么地方？"时生问道。

"像是谷九。"

"谷九？"

"谷町九丁目。呃，不——"司机摇了摇头，"这里已经是上六，全称是上本町六丁目。"

拓实对这些地名一无所知，也不知时生怎样，他倒是像明白似的点点头。

他们的车在离前面那辆车较远的地方停了下来。拓实取出钱包。车钱似乎比预计的要便宜。然而，前面那辆出租车上只下来了那个短头发，后车门就关上了。

"时生，你下车，"拓实说，"知道该怎么做吧？"

"知道，不就是螃蟹招牌前吗——司机先生，这里只下一位。"

车门打开，时生独自下了车。

---

①在日本，车辆靠左边行驶，停车时也靠左边停靠。

"喂，赶紧关了车门开车。前面的车要跑掉了。"拓实对着司机大吼起来。

"还要盯梢？今天我可真拉了个麻烦客人。"司机不情愿地挂入挡位，起动很慢，似乎是故意的。

"少废话！盯到底，小费不会亏待你。"

司机含意不明地耸了耸肩。

直行了一段路程，前面的车向左拐去。拓实这辆车的司机也打起转向灯。信号灯已变成黄色，车还是提速抢进了路口。轮胎稍稍有些打滑，依然成功地左拐了。

"真悬！"拓实小声说。

"你是东京人？"司机问道。

"嗯。"

"东京好女人有的是，何必特意来追南区的女人？"

"有个东京的好女人跑这边来了呗。"

"哦，前面车里的姑娘是东京人？"

"她是本地货，可她也许知道我要找的人在哪儿。"

"哦。"

拓实感觉到司机在别有用心地哂笑。"怎么？有什么好笑？"

"呃，没什么，小哥，纠缠不休的男人可没有女人缘啊。"

"啰唆！闭上嘴开你的车吧。"

不一会儿，前面的车放慢了速度，转进一条小巷。拓实这辆车的司机也小心地跟了过去。一转弯，就看见那辆车停在那儿。

"停车。"拓实说。

司机却径直从那辆车旁驶过。

"没听见吗？叫你停车！"

"停那么近，再笨的人也会觉得奇怪。"司机一直开到下一个拐角前才停下，"好，停这里就稳当了。"

拓实从钱包里取出一张万元钞，放在副驾驶座上。他回头一看，马尾已经下车，走进附近的一栋公寓。

"等等，钱太多了。"

"不是说过小费不会亏待你吗？"

"谁要小费了？"

"烦不烦？江户儿拿出的东西还能收回去吗？"

"你跟一个司机要什么派头？收你五千吧。"司机递过一张五千元钞。

"不要。"

"拿着吧。我说，"司机隔着靠背凑近了脸，压低声音道，"后面不是停着一辆黑色的小车吗？估计是辆皇冠。"

拓实看看后面，路旁果然停着一辆车。

"那辆车一路跟过来，不会是和你一样，在跟踪那位姑娘吧？"

"怎么会……"

"也许是我多心了。反正小心点吧。"

拓实一下车，出租车立刻开走了。拓实原路跑回去，一边跑一边观察那辆可疑的小车。像是要躲避他的视线，那辆车竟悄无声息地动了起来。擦身而过时，拓实看向驾驶座，可玻璃上漆黑一片，什么也看不到。

拓实跑进公寓楼，见左边是管理员的房间，窗户上挂着窗帘，右边有一排信箱，正面是电梯，正停在一楼。

信箱那边有脚步声传来。拓实赶紧藏在楼梯后面。扎着马尾的女子走了过来。她并未走向电梯，却朝拓实的方向走来。他绷紧身体，一动不动，心想实在躲不过便只好出去了。

然而，她上楼去了。拓实听着她的脚步声，尾随其后。

她的房间似乎在二楼。上了楼梯，她走进走廊，然后停下脚步，从手袋中取出钥匙。见此场景，拓实立刻飞奔过去。马尾似乎已有所觉察，扬起了脸。

　　"啊，你是——"她涂得红彤彤的嘴巴张得老大。

　　拓实不答，先看了看贴在门上的名牌——"坂田"。要确认的是名字。他和时生商量过，光看名牌可能搞不清楚。两人还已商定在这种情况下如何应对。

　　马尾仍目瞪口呆。拓实从她手中一把抢过信件。

　　"干什么？快还给我！"

　　马尾立即抓住拓实的胳膊。拓实一边甩开她的手一边看起收件人的姓名。可不知为什么，好几封信的收件人姓名写的都是英文。

　　"浑蛋，你不还吗？"马尾揪住拓实的夹克袖子。

　　好不容易看到了一封写着"坂田"的信。可就在这时，在马尾的拉扯下，这封要紧的信落到了地上。

　　"啊，该死！"他慌忙去拣。可紧接着，他的鼻子受到一记猛烈的击打。仰面倒下时，他才辨出刚才出现在眼前的是高跟鞋的鞋尖。

　　"用得着这么死命踢人吗？"他一手捂住鼻子，伸出另一只手想揪对方的领口，不料手立刻被反扭住了。

　　"啊，好痛！"拓实转了个身，跪到地上。

　　"你当我是谁啊？别小看人。"

　　"我不知道你是谁，所以才要看信。"

　　"你在酒吧里也净打听些乱七八糟的事。说！到底想干什么？"

　　"我们只是在找一个叫竹子的姑娘。"

　　"不是告诉你，这人早不干了吗？"

　　"我们知道这是谎言。你们中的一个就是竹子，却不知为什么要隐瞒。BOMBA 也不是取自 TOKYO BOMBERS，而是取自英语中的

BAMBOO，没错吧？"

那女孩立刻减轻了手上的力道。"这都是你想出来的？"她轻声问道。

"是那个家伙。"

"嗯，我猜也是。"

什么意思？他刚想这么问，视线蓦地落在地上的一封信上。收件人的上半部分被遮住了，只看见结尾是一个"美"字。

"你……不是竹子？"拓实头顶响起一声冷哼。

"我才不是什么竹子呢。"

"是吗？和我一起的家伙说你可能是，我也就先入为主地认定了。不好意思。"

"这么道歉就算完了？你也是成年人了，就不会正经一点？"

拓实心中火起，可现在的情形也不容他反驳。他调整了一下呼吸，小声道："对不起。"

"按理说，我不该这么原谅你的。"马尾这才松手。

拓实活动了几下胳膊，马尾在一旁拣信。

"你不是竹子，那就是另一位了。"

马尾摇了摇头。

"她是清美。坂本是假姓，真名是坂田清美，不是什么竹子。"

"店名取自竹子，没错吧？"

"这个，"她双手叉腰，正视着拓实，"猜对了，了不起。至今还没人看出店名的由来呢。"

"可是——"拓实开口想问，马尾却将一个信封举到他眼前。一看收件人，他不由得目瞪口呆。

"竹子的竹加上美丽的美，竹美，根本不是什么竹子。"

21

竹美从手袋里掏出钥匙，打开门锁，将门推开一半。

"先进去再说吧。"

拓实看了看昏暗的室内，又看了看她的脸。"这样好吗？"

"你要是肯直接回去，当然最好，恐怕你也不肯就此罢休吧。"

"是，有些话想问问你。"

"半夜三更的站在这里说话，可要影响邻居休息。被人看到了，肯定会朝歪处想，还是快进去吧。"

"既然这样……"拓实抬腿踏进室内。室内的昏暗，原来是一进门就竖着一块屏风的缘故，屏风高得出奇。里边的房间亮着灯。"你……相信我了？"

马尾立刻哼了一声。"谁会相信一个来历不明的人？"

"那你不觉得危险吗？竟然让我进屋。刚才我是一时大意，要不，你手劲再大也不是我的对手。"

"这很难说啊。"先脱了鞋的竹美双手抱胸看着他。她保持着这副架势，一动不动地喊了声："杰西。"

房间里面发出了声响，接着又传来脚步声。她背后的屏风轻轻地移到了一边。一个两米来高、黑黝黝的身影猛地出现在眼前。原以为是逆光的缘故才看起来黑，却并非如此——是个黑人，T恤衫中露出的胳膊有姑娘的大腿那么粗；胸脯厚厚的，像是在T恤衫里面穿了件羽绒背心一般；嘴唇像是不痛快似的抿得很紧，大眼睛从深陷的眼眶内直勾勾地盯着拓实。

"啊……哈啰！啊，是哈阿油才对。"

黑人朝拓实走近一步，拓实则退了一步。

"你好。"那黑人说道，带着很重的大阪口音。

"哈……"

"BAMBI多蒙你关照。我叫杰西，你多关照。"

他伸出粗粗的胳膊，抓住拓实的手握了握，力气大得像钳子一样。拓实的脸都歪了，答道："哪里，哪里。"

"怎么样？你的手劲大得过他吗？"竹美笑着问道。

"嗯，不太好对付啊。"拓实甩了甩被握过的手，稍稍有些发麻。

屏风后约有十二三叠大，带起居室和厨房。然而，既没有起居用的家具，也没有餐桌。像样一点的家具只有一张廉价的玻璃桌，几乎所有空间都被吉他、音箱和其他音乐器材占满。像样的椅子一把也没有，角落里倒有一套架子鼓。

"简直跟舞台差不多了，乐队就在这儿排练？"

"真正的排练是不可能的。要是在这里敲打，肯定立刻被赶出去。"

"他也是成员之一？"拓实指了指杰西。

"鼓手兼男朋友兼保镖。干我们这行，不时会被一些死皮赖脸的客人纠缠，可不管是什么样的客人，见了杰西都会两腿发抖。"

这还用说？已经稍有领教的拓实点了点头。

"BAMBI，你饿了吧？想吃什么？"

"不饿，谢谢。"

"BAMBI……哦，从BAMBOO简化来的。"

"才不是呢，是可爱无比的小鹿斑比。对吧，杰西？"

"嗯，BAMBI 最可爱，世界第一。"

两人拥抱、接吻，然后，竹美瞪着拓实问道："有什么意见吗？"

"没有，没有。"拓实搔了搔脑袋。

这时，不知从什么地方传出电话铃声。杰西从冰箱顶上取下电话，竹美拿起听筒。"喂……咦……啊，你那边也去了？这里也有一个呢……嗯，没办法，说了吧……嗯，是啊，也只好这样了。"

又说了两三句，竹美挂断了电话。

"你的朋友去上六了吧，还挺仔细，分了两路盯梢。"

打电话来的应该是短头发女人。

"那家伙怎么样了？你要是竹子，不，竹美的话……"

"说是正朝这边来，等他们来了再慢慢讲吧。"

"那个女人想必是叫坂田清美，这里的名牌也写着坂田。这么说，你们是姐妹了？"

竹美从冰箱里取出啤酒，拿在手里，摇晃着身子笑了。"她要是听你这么说肯定开心。不过，人们也常这么说。"

"不是姐妹，还会是什么？"

"母女，mother and daughter。"

"咦？"

"看上去三十来岁，其实两年前就四十了。这事要保密哦，在店里都说是三十四岁，还没上年纪呢。"竹美将食指贴在嘴唇上。

"为什么要姓坂本？直接姓坂田不好吗？"

竹美耸了耸肩。"说是算命的劝她改的，但多半是瞎说。在大阪说起坂田这样的姓氏，人们立刻就会联想到傻瓜坂田[①]，有损形象。不过，

---

① 大阪知名漫才师（相声演员），真名为坂田利夫。

我的名片上印的是坂田竹美。一说是傻瓜坂田竹美，开演唱会什么的也受欢迎啊。"她喝了口啤酒，笑了，嘴唇上沾满了白色的泡沫。

大约过了二十分钟，时生和坂田清美一起出现了。他好像也是等清美取邮件时确认了姓名，才与她接触的，但并未像拓实那般硬抢，而是直截了当地请求看一下收件人姓名。

"怎么能硬抢呢？那可是犯罪啊。"时生说道。

"你以为这位肯老老实实给我看吗？"

"当然不给你看，鬼鬼祟祟的。"竹美盘腿坐在地板上，嘴里喷着烟说道。拓实和时生坐在她对面。只有清美坐在坐垫上。杰西坐在架子鼓的椅子上，身体像是跟随着节奏似的摇晃着。

"为什么我们去酒吧时，不肯实话实说呢？那时就说清楚自己是竹美，不就没那么多麻烦了？"

"你是来找竹子的嘛。没有这个人，所以实话实说'没有'啊。"

"你可没说没有。你说以前在，后来不干了，半年前不干了。你是发现我把竹子和竹美搞错了，故意瞎说的。"拓实这么一分辩，一向嘴不饶人的竹美也无法反驳了。她与母亲对视一眼，抿嘴一笑。

"当时不知所措呗。说起竹子什么的，没有心理准备，真不知道怎么回答好啊。人的名字可要记准了。千鹤说得没错，你真是个傻瓜。"

拓实不由得火往上撞，可听到千鹤的名字，知道现在不是发火的时候。他探出身子。"还是见过千鹤吧？"

竹美又喷了一口烟，然后将烟蒂在一个水晶烟灰缸中摁灭。这烟灰缸与整个房间很不协调。"三天前，她打电话到店里，问可不可以过来。我说可以啊，她马上就到了。"

"一个人来的？"

"是啊。"

"她看起来怎么样？"

"显得很累。"竹美将双手探到脑后，解开了马尾，稍呈波浪形的头发垂过肩膀很多，"久别重逢，她开心地笑着，但好像有些提不起劲来，酒也没怎么喝。"

"谈了些什么？"

"真像警察审问。"竹美不快地撇了撇嘴。

"拜托你快些说，我急着呢。"

"啊，无聊，我不说了。"

"又怎么了？"

拓实刚要起身，时生制止了他。"少安毋躁。你以为这里是谁的家！"

"她故弄玄虚！"

"现在只有依靠她了，你要清楚自己的处境。"时生皱起眉头说道，随即又转向竹美她们："请原谅他吧。他找千鹤快找疯了。"他低头行礼。

竹美又点了一支烟，夹在指间，颇感兴趣地看了一会儿时生的脸。

"你跟他什么关系？"

"关系……朋友呗。"

"哼，千鹤可没说起过你，只说他没一个正经朋友。"

"谁？你说谁？"拓实气急败坏地问道。

"说你呢。"

听到如此干脆的回答，拓实又坐不住了，但这次他控制住了自己，代以怒目而视。"说我的事了吗？"

"她就是为说你的事才来的。你可别得意得太早，她对我们是这么说的：以前的男朋友或许会追踪到这里来，估计是来找竹美，你们就说她早不干了，这样他容易死心。"竹美叹了口气，"我做梦也没想到会搞出一个竹子来。"

"这种似是而非的名字叫什么不都一样？"拓实嘟囔道。竹美肯定也听见了，但未加理会。

"这么说来，是千鹤自己想和他一刀两断了？"时生确认了一个拓实最不愿意面对的事实。

"可以这么说。"

拓实擦了擦脸。他觉得脸上在冒油。一看手掌，果然油光闪闪。

"她说过我到底做错什么了吗？"他扔出这么一句。

"什么也没做，对吧？千鹤说了，他什么也不肯做。"竹美用冷静的目光看着他。

"要说工作方面的话，我可做了不少啊。尽管老是跳槽，那也是为寻找适合自己的道路。这跟千鹤也说过很多次了：总有一天会找到适合自己的东西，干大事，赚大钱……有什么好笑的？"

他话没说完，竹美就开始怪笑。

"没什么。只是觉得，你和千鹤说的一模一样。'总有一天要干大事，赚大钱——就是他的口头禅。'现在听你本人说，总觉得不太对劲。"

只有真正的傻瓜才会说这种话——千鹤的声音在拓实耳边回响起来，在他去面试警卫那天说的。当晚千鹤就失踪了。

"你多大了？"

"怎么突然问起这个？"

"说说看。"

"二十三。"

"这么说，比我还大，可一点也看不出来。这个哥哥倒要可靠多了。"她用烟头指了指时生，"宫本拓实，对吧？我和你素昧平生，可我觉得千鹤说得一点不错。"

"她说了些什么？"

竹美飞快地看了一眼母亲，又将视线移回拓实脸上。"说你是个孩子，没长大的孩子。我也这么认为，还觉得你是个没吃过苦的少爷。"

"没吃过苦？"拓实呼地站了起来，这次时生根本来不及阻止。"你这话当真？"

竹美一动不动，静静地抽着烟。"当真。你根本没吃过什么苦，是娇生惯养的少爷。"

"你这家伙……"拓实刚向前跨出一步，身旁立刻出现一个黑影。不知何时杰西已来到他身边，正充满警惕地看着他。

"听说你练过拳击，还经常自以为是地打人？"竹美说道。估计也是听千鹤说的。

"那又怎样？"

竹美不答，转向杰西说了起来，说的是英语，拓实听不懂。

杰西点了点头，进了隔壁的房间，没多久就回来了，手上套了一副红色手套，一眼就能看出是副玩具手套。

"你躲得过他出的拳吗？"

拓实冷笑道："个子大未必出拳快。"

"哦，那就试试吧，如果你老以练过拳击为傲的话。"

"躲得过又当如何？"

"嗯，我会向你道歉，不该说你是孩子。"

"好！"拓实脱下上衣，面对杰西，两臂却依然垂着。

杰西露出有些为难的表情，点了点头，摆出攻击的架势。

"可以打了吗？"

"嗯，随时出招吧。"拓实也摆开架势。

杰西叹了口气，收紧了下巴，那双大大的眼睛一下子亮起来。拓实心中顿时掠过不祥的预感。

杰西的肌肉动了一下。右直拳，尽可能将脸偏向一边——

然而，什么也看不见。杰西的手套刚一动，拓实就挨了一下。意识倏地飘散无踪。

22

　　睁开眼睛，面前一张黑黑的大脸咧嘴笑了，雪白的牙齿熠熠生辉……拓实哇地大叫一声，坐了起来。杰西说着什么，但他丝毫听不懂。拓实回过神来，才发现自己躺在被褥上。

　　哦，中了一拳。他终于想起来了。

　　"他醒了。"

　　隔壁有人说话，拉门哗地拉开，时生走了进来。"感觉怎样？"

　　"我晕过去了？"

　　"是啊，口吐白沫，翻身倒地。真吓人。"

　　"杰西还手下留情了呢。"竹美也进来了。

　　两人在被褥旁坐下。清美好像已经回去了。

　　"拳头真厉害啊。"

　　拓实话音刚落，竹美便咯咯笑了起来。

　　"那还用说！虽然是只打六个回合的，毕竟以前是青年组重量级拳击手啊。"

　　"专业的？早说啊。"拓实皱起眉头，将头发往上拢去。这时，他觉得后脑勺隐隐作痛，伸手一摸，那里鼓起一块。"喊，起包了。"

　　"光起个包算好的了，被杰西打歪鼻子的就有好几个呢。"竹美开心地说道。

"不过，拓实，我们还得感谢她呢。她让我们今晚住在这儿，说是脑震荡后需要静养。"时生说。

拓实吃惊地看着竹美。竹美也盯着他，神情似乎在说：有什么意见？

拓实摸了摸胡子拉碴的脸颊。"那就……谢谢了。"

竹美耸耸肩，叼起一支香烟。杰西在她面前放了个烟灰缸。

"后来又说了千鹤的事，竹美也不知道她在哪儿。"

拓实看着竹美。"你没问？"

"不是我没问，是那时她还没安顿下来，说安顿好了就通知我，可到现在也没个消息，估计今后也不会有了。"

"她和一个男人在一起。"

"嗯，听时生说了。"她吐着烟说道。

"还有一伙不三不四的人在找她。目标不是她，是和她在一起的那个男人。"

"这也听说了。看来她身处险境，我也很担心，可我真不知道千鹤的住址和联系方式啊。"

拓实在被褥上盘腿而坐，双手抱胸。他也想不出寻找千鹤的方法，竹美本来是他唯一的希望。

大家都默不作声，似乎在想同样的问题，各自陷入沉思。

"有一件事情不明白。"时生开口道，"千鹤为什么要来大阪？如果只是要与拓实分手、从头开始，去哪儿不都一样吗？"

"东京以外的大城市不就数大阪了吗？她也只能做酒吧小姐啊。"

"要是那样，她就该让竹美介绍工作，或者一起商量。"

"那你说为什么。"

"最早对我们说千鹤可能在大阪的，是那个石原。他为什么那么想呢？他们的目标是和千鹤在一起的冈部，可见这个冈部很可能来大阪，或许他就出生在这里。千鹤只是陪他来而已。"

"或许是这样，但这就知道千鹤在哪儿了吗？"

时生望着竹美问道："千鹤说起和谁在一起吗？"

"没听说，"她歪了歪脖子，"她倒是说了件怪事。"

"什么？"

"问我哪里有可靠的当铺。"

"当铺？"

"说是手头有些用不着的东西想处理掉，袖扣、领带夹什么的，是你的吗？"竹美看着拓实问道。

拓实哼了一声："谁用这种老头的玩意儿？"

"也是，啊，"竹美扭了扭脖子，"还有呢，说是有些罐子、绘画什么的想出手。我跟她说，肯买这些的也不光是当铺嘛。"

"罐子？绘画？什么玩意儿。她开杂货铺了吗？"

"那么，竹美，你是怎么回答她的？"

"我说不知是有幸还是不幸，我从不去当铺，所以不认识。"

时生点点头，发出呻吟般的声音。

"千鹤怎么会想卖那些东西呢？"

"没钱了呗。要多少贴补一些开销，就想卖掉一些那个男人的东西。袖扣、领带夹，那家伙到底什么派头？"拓实脱口而出。

"那些东西还可以理解，罐子、绘画什么的就搞不懂了，竹美，除了你，千鹤在大阪还认识什么人吗？"

"呃……"竹美想了一会儿，"非要说有，那就是哲夫了。"

"哲夫？"

"我的初中同学，他家在鹤桥开了家烧烤店。以前，千鹤说想吃烧烤时，我曾带她去过。千鹤如果记得那家店，就有可能去。"

"烧烤店……"

"和当铺毫无关系啊！不管怎么说，先去探探。那店离这儿远吗？"

"电车一站路，走过去也花不了多少时间。"

"好吧，画张地图来。"

"画张地图来？"竹美圆瞪双眼，"就不能说帮忙画一张地图吗？"

"你这是……"拓实咂了咂嘴，可看到时生眉头紧皱，就闭上了嘴，干咳一声，道，"帮忙画一张地图。"

"听不见。"

"请帮忙画一张地图。这下行了吧？"

"哼，就不能再诚恳一点吗？我是听说千鹤被不三不四的人追踪才帮忙的，要不然，早把你赶出去了。"

竹美起身走到隔壁，拿回了一张小广告，印着"百龙"烧烤店的地图和电话号码。拓实将广告胡乱一折，塞进裤子口袋。

竹美见状问道：

"喂，你找到千鹤后想怎样？"

"我怎么知道？先问清楚呗。"

"你不会动粗将千鹤拖回去吧？你要是有这种打算，我就撒手不管了。你见哲夫前，我会打电话叫他不理你们。"

"谁想动粗了？我根本没这个念头。"

"那就好。"竹美继续抽烟，眼珠朝上翻。

"怎么了？还有什么话？"

"没什么。我只觉得好奇，不知你心里怎么想的。"

"什么？"

"千鹤和别的男人在一起的事。总不会以为他们两人清清白白吧？"

拓实的脸都要歪了，心想，这女人真是哪壶不开提哪壶。

"这事不用你说我也有数。"

竹美哼了一声，点点头，没再说什么。

当天夜里，拓实和时生就睡这间房间，竹美和杰西睡在起居室里。尽管竹美说话难听，拓实也知道，这次多亏有她。只是她最后说的那番话令他郁结于胸。

他想起千鹤柔软的肌肤和圆圆的乳房，如今却被另外一个男人抚摸着，心中不由得生起一股焦躁和忌妒。而且，千鹤不是遭人强暴，是自己乐意接受的。从目前的情况来看，时生和竹美产生"找到了千鹤又有什么意义"的疑问也理所当然。拓实也明白，赶紧死心对自己有好处，也不算丢脸。为什么要去找她？找到了又怎样？他自己也不甚明白。

或许是这一天发生的事情太多了，他怎么也睡不着，身旁的时生倒已鼾声大作。拓实觉得，这家伙出现后，自己身边才突然纷乱起来。这一切好像并非出于偶然。

一阵尿意袭来，他钻出被窝，开了门，走向卫生间。起居室里漆黑一片，角落里的毛毯似乎盖着一座大山，想必杰西和竹美正相拥而眠。

他刚来到卫生间门前，门突然开了，竹美走了出来。她穿着宽松的套衫，乍见拓实，似乎很吃惊，眼睛睁得大大的，咕哝道："吓死我了。"

"啊，不好意思……"说到这里，拓实愣住了，盯着竹美露在外面的肩膀。那里刺着一朵鲜红的玫瑰。

竹美注意到拓实的视线，伸手遮住肩膀，从他身边走过。她首次在拓实面前露出柔弱的表情。回到被窝，拓实的视网膜上依然印着那朵鲜红的玫瑰。

拓实半睡半醒着直到天明。看看身边，时生已经不见了。不一会儿，他听到了笑声，是时生。

他走到隔壁，见时生正和杰西在厨房里说着什么，两人肩并肩站在一起做早饭。杰西穿着围裙，在用平底锅炒菜，时生切着什么。两人的对话很奇妙，一半英语一半日语。杰西说的日语还是大阪方言。

时生看见拓实，就微微一笑，说："早上好。"

"早。"杰西也道。

"你会说英语啊？"拓实问时生。

"不能算会，磕磕巴巴的。"

"刚才不在说吗？学过英语会话？"

"没好好学，倒是从小学就开始学英语。"

"哦，那可是上流社会的教育啊。我也曾想生在那样的家庭。"拓实撇了撇嘴，在玻璃桌旁坐下。角落里，竹美仍裹着毛毯缩作一团。

等到开始吃很迟的早餐时，竹美起来了，她在宽松套衫上披件衬衫，出去拿了份报进来。她谁也不看，满脸不悦地抽着烟，读起了报纸。杰西见状也不说什么，将炒蔬菜和酱汤端上了桌。或许每天早晨竹美都是这样。

"外国人也喝酱汤！"见杰西灵巧地用着筷子，拓实惊讶地说道。

"还喜欢吃鱼干呢，惊讶吧？不过他吃不了纳豆，我也几乎不吃。"

"不吃纳豆可不算日本人。"

"杰西本来就不是日本人嘛。"竹美嘟囔道。她还没拿筷子，目光仍落在报纸上。拓实想回敬她一句，可终究没说出口。竹美只喝了一碗酱汤，吃了一点点炒蔬菜。

饭后，时生帮着一起收拾。从厨房里出来时，他手里拿着一张照片。

"看，这想必是夏威夷，杰西的老家吗？"他把照片放在竹美面前。

照片里有十来个人，中间的一对正是杰西和竹美。竹美穿着长袖衬衫。

"遗憾哪，竹美为什么不穿泳装？其他人不都穿着吗？还有人穿比基尼呢。"

"少说两句。"拓实道，"人各不同。"

时生不解，茫然若失。

竹美点燃烟，露出沉思的表情。拓实在地板上摊开报纸，眼睛盯着日美贸易摩擦的报道。

"那时我十五岁，"竹美开口了，"同居的男人硬要我刺上的。"

"与那种人交往本就是失败，太幼稚了。"

竹美吐了口烟。时生还是一副不明就里的神情。

"十五六岁时无依无靠，又没有工作，不跟黑道混，还能怎样？"

"什么无依无靠？不是有你妈在吗？"

"她那时正吃着官司，罪名是伤害致死。"

拓实缄口不言，根本没想到会引出这种话来。

"你一脸想知道她杀了谁的样子嘛。告诉你好了。她杀的是自己的老公——我父亲。"

"不会吧。"时生咕哝了一声。拓实咽了口唾沫。

"我爸那时已经有些酒精中毒了，根本不好好工作，每晚都喝酒。我妈老说他，两人吵个不停。一天晚上，吵得火起，我妈就把我爸从楼梯上推了下去。老爸摔得不巧，一命呜呼。"竹美将香烟掐灭。

"这种情况应该可以缓刑的。"时生冒出一句。

竹美淡淡一笑。"我妈也非等闲之辈啊，夫妻俩一对活宝。她那时在酒吧陪酒，动不动就喝醉了打客人，经常被人控告伤害罪。所以，虽有酌情处理的余地，还是判她进监狱去清醒一下。律师也不肯卖力气。就这样，我成了孤儿。虽说是伤害致死罪，可在世人眼里和杀人没什么两样，我从此背上了个坏名声。"

"为什么要和黑道混在一起呢？"

"我也是自暴自弃了，那人三十多岁，有钱，也让我上高中读书，可不让我下游泳池。"她解开衬衫的扣子，露出右肩。

看到那里刺着的玫瑰，时生低声叫了起来。

"有个十五岁的小姑娘跟着，他大概很得意，忌妒心也很重。给我刺青，是为了不让我淘气。"

"你怎么摆脱了这种人？"拓实问道。

"他突然就不回家了。我觉得奇怪，后来一些小喽啰来收拾东西，有一个告诉我，他死了。"

"估计被人杀了。"时生说道。

"大概是。"竹美点了点头，"之后也风风雨雨的，一直活到今天。现在应该算过得不错。不管有什么事，杰西都会帮我。"竹美望着杰西微微一笑。不知听没听懂，杰西也咧嘴还以笑容。

"真了不起！竹美，真看不出你吃过这么多苦。"

"吃了苦就挂在脸上那才叫惨哪。再说，悲观也没用。谁都想生在好人家，可无法选择父母。发给你什么牌，你就只能尽量打好它。"她看了看拓实，"小学里学不学英语又怎样？这点小事就能改变人生？"

拓实低下头。看来竹美听见了他的话。

"千鹤也告诉了我不少。你的身世的确有些可怜，但我觉得发给你的牌不算太坏。"她的语气平稳了一些。拓实一语不发，只是抚摸着下巴上的胡茬。

中午时分，拓实和时生决定出去。

"等一等。"竹美喊了一声，回到里屋，拿出一张照片。照片上是她和千鹤，好像是一两年前照的，千鹤显得比现在丰满些，竹美较为苗条。"拿着千鹤的照片方便些。"

这是不言而喻的。拓实低了一下头，接过照片。

出了门，时生说道："这个竹美真不简单。"

拓实走了几步后喃喃道："那种人，懂得什么……"

然而，这句话听起来很空洞。

23

在鹤桥站一下车，就闻到了一股烤肉味儿。对照着小广告上的地图，他们沿狭窄的站前马路前行。百龙烧烤店位于民宅密集的地区。

"BAMBI 来过电话，说有两个古怪的东京人要过来，叫我招呼一下。"哲夫身材魁梧，烫过的头发乱糟糟的，或许梳个大背头更合适。他上身穿着白罩衫，脚上趿拉着木屐。只有一张大柜台的店里没有一个顾客。店员似乎也只有哲夫一人。拓实出示了从竹美那里借来的照片。

"千鹤前天晚上来过。"哲夫毫不迟疑地说。

"和别人一起吗？"时生问道。

"和一个男人。"

"什么样的？"

"三十岁左右，或再大一点，一副穷酸样，战战兢兢的。"

"她现在在哪儿？有没有说起去向？"

"没怎么说话。我当时很忙。她虽是 BAMBI 的朋友，之前也只见过一次。吃烧烤吗？给你打折。"后面那句是对时生说的。时生拒绝了。

"有没有要你介绍当铺？"拓实问道。

"当铺？怎么，千鹤没钱了？"

"不太清楚。"

"呃……"

正当他们灰心时，哲夫又说道："不过……我看到了钱包。"

"啊？"

"付账时，那男的打开钱包，我瞄了一眼，万元大钞装了好多。有了这么多钱，一般不会去当铺。"

"那是自然。"拓实自言自语道。

"说不定，"哲夫拍了一下大腿，"是去过当铺才来的。说不定是当得了钱，才来吃些烤肉长长力气。不过，烧烤一般都是没钱时才吃的。"

"有可能。"时生看着拓实道，"晚上来这儿，就不能再去当铺了。"

"也是。"

"附近有当铺吗？"时生问哲夫。

"有啊，当铺有的是。"说着，他返身走到里间，回来时手里摊开一张地图，像是社区的地图。

"这一带的当铺就是'荒川屋'了。嗯，还真不多。"

"也不一定就是附近的。"

"不，估计千鹤和那个男的都对大阪不熟悉，才问竹美哪里有当铺。可竹美没有介绍，他们只好顺便找一家。这时，比起全然陌生的地方，一般会在多少有点了解的地方寻找。"

"是吗？"

"先去探探再说。"时生谢过哲夫，又问地图能否借用一下。

"可以，拿去吧。"

"多谢，多谢。"时生低头致意，小心折起地图。突然，他停下了动作。"哦，这儿是生野区啊。"

"是啊，怎么了？"

"知道高江这个地方吗？生野区高江。"

"高江？好像听说过，又好像没有。"哲夫说声稍等，又去了里屋。

"喂，现在是打听这个的时候吗？"

"顺便嘛。我不是在陪你找千鹤吗？"

哲夫回来了，手里摊着一张交通图，腋下还夹着一本地图册。

"好像没这个地名。"

"你看，还是虚构的，找也是白找。"

"别着急呀，你倒还是急性子。"哲夫打开了那本地图册。地图相当旧了，纸张的边缘都已变色卷曲。"有了，生野区高江。"

"啊，真有啊！"时生的脸顿时亮了起来。

"多年前改过地名，就是那时改掉的。"

"怪不得找不到。"时生露出很不好意思的神情，对哲夫道，"呃……非常不好意思，这地图……"

"明白，明白，拿去好了，这么老的地图留着也没什么用。不过，下次来得多少吃一点啊。"

"非常感谢。"时生深深地低下了头。

出了烧烤店，两人直奔荒川屋，途经一个香烟店，有个人在那里打公用电话。从那人身旁经过后，时生扭了扭脖子道："奇怪……"

"怎么？"

"刚才那个在香烟店打电话的人好像在哪儿见过。"

"香烟店？"拓实回头望去，那里一个人也没有，"怕是你多心了。这里怎么会有你认识的人？"

"嗯，所以才觉得奇怪。"时生的脸阴沉了许久。

荒川屋是家小店，玻璃陈列柜将入口夹在中间，放着宝石、贵金属、钟表、崭新的家用电器，还有乐器和日用百货。

两人推开门。正面有个柜台，里面有个白发老者在打算盘。两人来到柜台前，老者方才抬起头来，看起来六十开外。

"当东西？"他小声问道。

24

拓实将从竹美处借来的照片放在店主面前。

对方抬头，射来锐利的目光。"这是什么？"

"这姑娘来过吗？这个。"拓实指着千鹤的脸。

店主根本没看照片，颇显厌烦地轮番看着拓实和时生。

"你们是什么人？不像是警察啊。"

"找人的，她或许来过这里。喂，看一下照片吧。"

店主挥手推回了照片。"这种麻烦事我可不想沾。走吧。"

"看看有什么关系？只要说来没来过不就行了？"拓实的声音粗了起来。

店主摇了摇头。

"来我店里的客人都不愿让人知道，我要是多嘴就失了信用。如果与什么案子有关，请去找警察一起过来，我就不好什么也不说了。"

此言有理，可拓实也不能就此罢休。"说不定会闹出大案子，这姑娘也许会卷进去。可案子没发生，警察不肯行动，只好自己想办法。"

"行啊，你去想办法好了，但别把这种倒霉事带进我的店，妨碍我做生意。回去吧。"店主挥了挥手。拓实伸手拿起照片，直递到他眼前。

"看一下吧。这个姑娘前天来过吗？"

"不知道。"店主扭过脸去，将照片推了回来，"没有别的事就请回吧，多说无益。"

桌上的电话恰好响了。店主飞快地抓起听筒。"喂，这里是荒川屋……啊，你好，你好。"他满是皱纹的脸像花朵一般绽放开来，和刚才的冷若冰霜简直判若两人。"又有什么了？是什么好货啊……哦？吉川英治的……啊，拿过来，我总有办法，我有收旧书的朋友啊。啊，不好意思，请稍等一下。"他捂住话筒，看向他们，脸上没有丝毫笑意。"想待到什么时候？又不当东西，杵在这里碍事。快出去！"

他做了个驱赶的手势，重新将听筒贴到耳朵上。"对不起……不，没有顾客，是两个瞎逛的。"

拓实看到他那张笑脸，顿觉全身血脉贲张。

"谁是瞎逛的？你这个糟老头子！"他冲柜台下端猛踹一脚。

店主吊起了眼角："撒什么野？叫警察了。"他暴跳如雷，却仍没忘记捂住话筒。

"好，你叫啊。"

拓实隔着柜台伸手去抓店主，有人从后面将他拦腰抱住了，是时生。"拓实，不能这样。"

"放手！"

"不行。"

拓实被时生直拖出大门。

"放手，你这浑蛋！"拓实奋力挣扎，结果两人都摔到路上。行人都吃惊地望着他们。很快，两人几乎同时站起来。

"别胡闹！"时生怒喝道，"你怎么总这样毫无耐性？什么都搞得乱七八糟。他不会再告诉我们什么了。你就没觉得是自断后路吗？"

"听他那种语气，能忍气吞声吗？"拓实抬腿就走，却漫无目的。

"去哪里？"时生跟了上来。

"不知道。"

"这附近没当铺了，知道吗？"

"知道。别烦了。"他用虚张声势来遮羞，却全然不知接下来怎么办，不得不停下脚步。

拓实叹了口气，道："没办法，还是回去吧。"

时生皱起了眉头："竹美那里？"

"千鹤能依靠的只有她，说不定会和她联系。"

"怎么说呢，想联系早就联系了，竹美不也这么说？"

"那你有什么办法？"拓实的目光突然停在电话亭上，像是想起了什么。他走近拉开门，抓起按行业分类的电话簿。

"想干吗？"

"闭嘴！"拓实翻到当铺的部分，顿时皱起了眉头。"浑蛋，这么多！"看着一长排号码，他不由得骂了一声。

"你想找遍全大阪的当铺？"

"真啰唆！先推测再打听不就行了？"

"怎么推测？一点线索也没有。"

"我说你少啰唆。先从附近开始好了。这里是生野区，对吧？胜山南区在哪儿？"他说的是电话簿上随手找到的一家当铺的地址。

"啊！包呢？"

"包？"拓实看了看时生，他手上什么也没有。这时，他才发现自己也两手空空。

"放哪儿了？"

"我怎么知道？不是你拿着的吗？"

拓实咂了咂嘴，合上电话簿出了电话亭，粗暴地关上门。包忘在哪里，他马上就想起来了。他满腹痛苦、懊恼地原路返回。

拓实作好被痛骂的准备拉开了荒川屋的门。他决定不管店主说什么都一声不吭，拿上运动包就走。

店主仍在打电话。拓实以为他肯定会露出厌烦的神情。然而，他转过头来，脸上仅略显吃惊。

"回头再打给您吧。嗯，先这样。"

他挂断电话，瞪着拓实道："是来拿包的？"

拓实沉默着点点头。那个熟悉的运动包放在柜台边上。他记得原先不在那儿，估计被动过了。他拿过包就往外走，却被叫住了。"等等。"

拓实转过头。店主拿起放在桌上的眼镜戴上，坐到椅子上。他脸上并无一丝阴险可怕的神情。

"刚才那照片，再给我看一下。"

"怎么？"

"行了，给我看一下。不是你要我看的吗？"

拓实莫名其妙地递过照片。

"嗯。"店主抬起头，在后颈处砰砰拍了两下，"我说，你就没带什么东西吗？"

"东西……怎么了？"

"你看，我这里是当铺。收下物品，就放钱出去，也可以买断。总之，只要拿出什么能换钱的东西，你们就是顾客。对顾客我不会冷若冰霜。"

拓实没说话，这番话的意思他一时没听懂。身边的时生上前问道："那照片上的姑娘来过这里，对吧？"

"嗯，怎么说呢……"店主露出狡猾的浅笑，将照片推到拓实面前。

"喂，怎样？来没来过？"拓实气势汹汹地问道。

"怎么说呢？"店主故意慢条斯理地说，"我说过，对顾客是不会冷若冰霜的。既然不是顾客，我也不能随便说了。"

看来千鹤的确来过这里，这样就该打听细节了。只要拿出点值钱的东西，这个倔老头看来会提供些线索。不清楚他为什么要这么说，但看来在他尚未改变主意时答应和他做点生意还是明智的。

"喂，有什么玩意儿可当？"拓实问时生。

"怎么会有？"

"喊，真没用。"拓实脱下上衣，放在柜台上，"这个怎么样？不是什么便宜货啊。"

这件快要露出胳膊肘的夹克，店主看都没看一眼，搔了搔后脑勺，嘟囔道："碍难从命啊。"

"等等，我来找。"

拓实将包放在柜台上，拉开拉链，把里面的东西全掏了出来：肮脏的毛巾、内衣、地图册、牙刷……

店主伸出手，抓起那本漫画，目光微微闪了一下。

"手绘漫画啊，有些年头了。你怎么会有？"

"别人给的。"

"哦。"他哗啦哗啦地翻了翻，"作者没有名气，画得也不怎么样，但还有人要——所谓的收藏家。好吧，这个我可以买下。"

"那可不行。"时生对拓实说，"这对你很重要。"

拓实却将视线从时生身上移向店主。"你出什么价钱？"

"拓实！"

"也就这么多吧。"店主敲了几下手头的电子计算器，将显示屏转向拓实，上面显示着"3000"。

三千元？就这么一本破漫画？这两个念头在拓实脑海中一闪而过——赚了！不，或许远远不止这些。他伸手在计算器上敲了几个键。"这个价怎么样？"计算器上显示着"5000"。店主皱起眉头。

"小兄弟，说起来这只是个涂鸦本子，收藏家肯不肯要还不知道呢。这样的东西能出五千吗？再说你的目的也不在于赚钱，就三千算了。"

拓实听着他黏糊糊的语气，心里火烧火燎的，想快点作个了断。

"好吧，成交，但你可要告诉我那姑娘的事。"

"拓实，不行！"时生伸手要抢。拓实阻止了他，揪住他的衣襟，使劲往上一提。

"啰唆什么？那东西反正要扔掉。"

"那漫画你一定要存着。大叔，就那本书不行，你买别的吧。"时生挣扎着想甩开拓实的手。

"到底怎样？这位小兄弟又说不行了。"店主慢条斯理地说道。

"别听他的，我说行就行。你小子别捣乱！"

拓实揪着时生的衣领，打开店门，使劲将他推出去，立刻关了门，又上了锁。时生在外面砰砰地敲着玻璃门，拓实置若罔闻，转向店主。

"捣乱分子赶出去了，继续交易吧。"

"你先把那儿收拾一下，脏兮兮的短裤，看着都叫人恶心。"

拓实收拾包里的东西时，店主拿出三张千元钞，三张都是崭新的。拓实在收条上签了字，推了过去。

"我说，那姑娘，"店主摘下了眼镜，"是前天傍晚来的。因为是第一次上门的客人，我记得很清楚。"

"一个人来的？"

"进店的是一个人，有个男人在外面等她，就像他那样。"店主朝店门口动了动下巴。玻璃门外，时生正用怨恨的目光看着拓实。

"是个什么样的男人？三十来岁，穷酸样的？"拓实回忆着哲夫的话，问道。

"嗯，个子不高，都傍晚了还戴着雷朋墨镜。"

"哦……拿来了什么？"

"袖扣、领带夹等总共七件。货色不错，都没拆封，附着保证书，像是国外带来的礼物。"

还真是袖扣和领带夹，拓实心想。"典钱给她了，还是……"

"买断了，只出了这么多。"老板竖起一根手指。

"一万……不会吧？"

"怎么会？当然更多了。"

听哲夫说，那男人的钱包里有好多万元钞。要是放入十万元，看起来应该差不多。

"她带东京口音？"

"是啊，和你一样。"

"有没有问她来这里干什么？住在哪里？"

"我有必要问这些吗？"

拓实咬了咬嘴唇。的确如此。

"不过，"店主抿嘴一笑，"她肯定还会再来。"

"为什么？"

"她问了本店的营业时间，又问主要经营范围。我告诉她基本上什么都做，她似乎很满意。"

"没说什么时候来吗？"

"那倒没说，也可能不会来了。"

"我说老伯，"拓实双手按在柜台上，"求你件事。"

他还没开口，店主就摇开手了。

"你要我等她来了通知你可不成。我可没这个义务，也没时间。"

拓实轻轻咂了咂嘴，不让对方听见，心想：心思被他看透了。

拓实开了玻璃门到外面一看，时生正蹲在橱窗前。他瞪着拓实，站了起来。

"你怎么回事？好像不知道那本漫画对你多重要。"

"你真啰唆。给我的那个女人不是说了吗？不要的话扔掉也可以。"

时生往当铺走去，拓实抓住他的胳膊。"干吗？"

"当然是去要回来了。"

"不行，那本书是给我的，我怎么处理轮不到你开口。记好了，今后别再跟我提那本漫画，否则我揍扁你。"

拓实冲时生扬了扬拳头，时生却露出反抗的眼神，冷哼一声。"到杰西跟前耍狠去啊。"

拓实的拳头突然松了。他垂下手，大大地喘了口气。

"你想做什么随你的便，只是别来干扰我。"

时生面带悲哀，缓缓地摇了摇头，似乎有什么东西没法让对方明白，所以焦急甚至绝望。拓实见状也不好再多说什么。

他环视四周，发现了一个小小的书店，便走了过去。

"去哪里？"时生在背后问道，他既没回答，也未停下脚步。

书店只有三米多宽。拓实没进去，取了一本摆在外面的杂志，装出浏览的样子。时生来到他身边，一语不发，满脸别扭地踢着地面。

"千鹤可能还要去那里。"拓实盯着杂志，朝当铺轻轻摆了摆下巴。

"所以，"时生没好气地问道，"你就在这儿盯着？一整天？从今天起每天都盯？书店老板肯定会觉得奇怪。"

"那你有什么办法？"

"不知道，或许没有。"时生说完就径自走开，拓实急忙追了上去。

"喂，你去哪里？"

"散散步。"

"这个时候你还有心思散步？"

时生猛一转身，直视着拓实，眼中明显布满怒意，拓实不由得退了一步。

"不可以吗？你干你的，我干我的，这样不好吗？这可是你说的。"

拓实无言以对。时生似乎根本没希望他回答什么，说完又走了。拓实望着他的背影喊道："当铺六点钟打烊，要在那之前回来啊。"

时生边走边举了一下左手。

25

正如时生所料，假装看书进行监视绝不轻松。一小时后，看书店的老者就开始注意起拓实。出于伪装的目的，拓实不停地换着杂志，可书店显然不愿让人站着就把杂志看遍。拓实想，明天这一招肯定不好用了。

要是有带玻璃窗的咖啡店之类的就好了，可这里的餐饮店只有一家卖煎菜饼的，进去后根本看不到外面。

两个小时后，拓实累坏了。他离开书店，朝当铺慢慢走去，经过门前时也未停下脚步，但不时关注着身后的动静。过了几十米，他向右转，然后又朝当铺走去，走过当铺几十米后再折回来。往返三次后，他已颇引人注目，腿也累得僵硬了，便又回到书店前。

他在自动售货机上买了罐果汁喝下，又蹲在路边抽烟消磨时间。通过这样的监视，他发现出入当铺的客人并不多，只有一个家庭主妇模样的中年妇人。

他来到电线杆旁，坐下来抽艾古，忽觉眼前有个人影。抬头一看，时生正站在面前。拓实觉得自己仿佛得救了。

"非常显眼。"时生用毫无起伏的声调说道。

"啊，是吗？"

"千鹤要是来到附近，肯定先发现你。我敢打赌。"

"可……"拓实搔起了头，无法反驳。

"行了，走吧。"

"去哪儿？"

"当铺。"

"还去？去干吗？"

"把那个赎回来。"

"又来了。算了吧。"

时生不答，朝荒川屋大步走去。

一进店门，他就发现店主脸上阴云密布。

"怎么又来了？"

"我要赎回那个。"时生道，"开个价吧。"

"没头没脑的说什么呢？"店主皮笑肉不笑地看着拓实。拓实摇摇头表示——我也不清楚。

"开价啊，要出多少才可以赎回？"

"卖的时候是三千元，想来你也听到了。"

时生看也不看拓实一眼。

"这个价赎不回来？"他说。

店主搔了搔白发，冷笑着靠在椅背上，双手抱胸。

"看来是露馅了。"

"你一开始就盯上那本漫画了。我们将包忘在这里时，你擅自打开过，看到了那本漫画，对吧？"

"怎么说呢？就算是这样，也得怪你们自己忘了包啊。"老头继续冷笑。

"老滑头！"时生瞪着他。

"喂，到底是怎么回事？我完全不明白。"拓实说。

"爪冢梦作男是昭和三十年（1955 年）出名的漫画家，发表过的作品有五部，代表作是《空中飞行的教室》。"时生看了看拓实，"那本《空中教室》就是其原型。"

"嗬，调查得真清楚！"老头半佩服半嘲弄地说。

"没费多大功夫，去经营旧漫画的旧书店一问就清楚了，你不也是这样吗？给搞旧书的熟人打个电话，就知道爪冢梦作男的漫画卖得出价钱了，对吧？"

老头不答，用食指搔了搔脸颊。

"卖得出价钱？到底能卖多少？三千元太便宜了吗？"

时生露出悲哀的目光，摇了摇头。"不是一个量级的。"

"量级……"

"爪冢梦作男的作品少，出名前人就去世了，只有少数发烧友要收藏他的作品，他们已将价格抬高了。"时生走近柜台，"说啊，到底出多少能赎回？"

店主双手抱胸摇了摇头，脸上已了无笑意。

"对不起，不能赎回了。"

"为什么？"

"已经有了买家，与中间人也谈好了。事到如今，虽不能说只当没这回事，但劝你们还是死了这条心吧。"

"但我们是原持有人啊！"

"那无关紧要，现在那书已归本店所有。卖给谁、卖多少都是我的自由，对吧？"

"浑蛋，你无耻！"时生像几小时前的拓实一样踢了一脚柜台，但这次店主并未发火。

"你有什么意见，请对这位小兄弟说，但别在这里打起来，要打请到外面。"

"你想卖多少？我出更多。"时生说道。

"不是价钱的问题，影响本店信誉的重复交易不能做。"

"你还有信誉？"

时生又要踢柜台，被拓实制止了。

"别闹了，就这样吧。"

"不行！你什么都不明白。那本书是个重大线索。没了它，就无法了解真相。"

"什么真相？随它去吧。"拓实吼了一声。时生圆睁双眼，身体紧绷。

拓实制住时生，回头对店主说："你确实无耻。骗子！"

"随你怎么说，生意就是这样。"

"我算是见识了。但如果就这样，我这位朋友不答应，我也咽不下这口气。"

"你想怎样？"

"你卖书为赚钱，对吧？多少补偿我们一些，我可不是说钱。"

"啊……"店主的脸颊鼓了起来，"照片上的那姑娘来了就通知你们，嗯？"

"你可别说不愿意。"

"我倒是想说。"老头松开环抱在胸前的双臂，在大腿上拍了一下，"通知哪里啊？"

拓实一时无法回答——今夜住哪儿还没定呢。

时生从口袋中掏出件东西，拓实一看也同意了。

"打电话给这里吧。"

时生递过百龙的广告。

26

沾满调料的大盘子一次就端来了十几个。脸上汗出如浆，只能用胳膊去擦。拼命不停地洗，却仍来不及，水槽中的脏盘子堆积如山。

"能不能再麻利些？接下来就是高峰，这就累坏了可不像话。"哲夫在一旁说道。他头扎一条毛巾。

"不正在拼命洗吗？"

"光拼命洗，小孩子也会啊。时间宝贵，手脚还得麻利。可得洗仔细了，我的顾客中有品位、爱干净的居多。"

拓实想说，有品位、爱干净的客人会来你这脏兮兮的店吗？可还是忍住了，捏着海绵的手飞快地动着——不能得罪哲夫。

错就错在不该在当铺老板问起联络地点时，不假思索地就将百龙的广告递了过去。这么一来，拓实和时生就无法离开百龙了。拓实一对哲夫说要在店里等当铺的电话，就遭到了拒绝。

"电话是我店里的重要营业工具，怎么能随便借给你们这种不三不四的人呢？又不是顾客，老待在店里要影响生意的。"

哲夫的话倒也在理。于是拓实说，在店里等电话的时候，可以帮他洗盘子。哲夫考虑了一会儿，同意了。

拓实与时生商量后，决定轮流洗盘子。今天白天由时生负责，猜拳时他胜了，便要求先洗。他挑得很对。白天来吃烧烤的人很少。从拓实开始洗的时候，客人就多起来了。

偷眼看了一下墙上的钟，还有十五分钟到六点。只须洗到六点，之后再等电话就没意义了，因为荒川屋六点打烊。

昨晚他们住在哲夫介绍的位于上六的商务酒店。说是酒店，其实只是房间之间有墙相隔、门上上锁的便宜旅馆，连床也没有，被褥有股霉味，还得自己来铺。不用说，浴室和厕所都是公用的。就这样，还说什么"check in"（入住）、"check out"（退房），相当滑稽。这或许是大阪人特有的潇洒。

睡前，时生又说起了那个叫爪冢梦作男的漫画家，但并未多说。

"总之，这是个谜团重重的漫画家，只知道生在大阪，真名也不知道。据说若去东京的出版社调查一下，或许能了解什么。"

"没兴趣。"拓实躺在被褥上，冷冰冰地说道。他不想去调查这种事情。

"我明天去那个叫高江的地方看看。"时生说。

"大概已经没有了。"

"只是改了名字，地方是不会消失的。或许能查到什么。"

"随你。"拓实盖上被子，将脊背转向时生。

今天时生洗完盘子当真出去了，也不知去高江干什么。那本漫画已经脱手，应该没什么线索了。

六点整，哲夫过来了。"哦，辛苦了。"

"当铺那边有电话来吗？"拓实擦了擦手，将卷起的衬衫袖子放下来。

"没有。这样明天又可以让你们免费洗盘子了。"哲夫诡笑道。

"明天要变更联系地点，我们去咖啡店等。"

"不好，不好。这边的咖啡店不纵容久坐的客人，还是在这里边洗

175

盘子边等电话的好。不是还能吃烧烤吗？"

"吃倒胃口了。"拓实嗅了嗅衣服上的气味。

"烧烤吃多了就会上瘾的。我说，有客人来了。"

"找我的？"

"嗯，去看看就知道了。"哲夫用大拇指指了指店堂。

拓实来到店堂，见已坐满一半客人。竹美和杰西正并排坐在角落里。看到拓实，竹美兴奋地挥了挥手。

"你们怎么来了？"拓实见他们身边空着，便坐了下来。

"看不出来？上班前的用餐呗。"

"就带着这股气味去上班？"

"这种事都要在意，在大阪还怎么活呀？"竹美吐了口烟，她似乎已经吃完了。杰西则还在烤五花肉。

拓实明白了，就因为他来了，要洗的盘子才那么多。他心中有些烦躁。

"听哲夫说，千鹤的事有线索了。"

"嗯，也可以这么说。"

"亏你想得出来，将这儿当成联络地点，你们义务洗盘子，真是个合理建议，佩服。"

"嘲笑我？"

竹美摇摇头。"我说真的。干什么工作都只有五分钟热度的你，为了千鹤还真起劲哪。"

杰西竖起大拇指，露出雪白的牙齿。拓实却将头扭向一边。

"你又不了解我，凭什么这么说？"

这时，柜台上的电话响了，哲夫拿起了听筒。拓实与竹美面面相觑。

"请稍等。"哲夫看着拓实，无言地点了点头。

拓实赶紧跑过去接过，压低声音说："是我。"

"小兄弟，我是荒川屋。那姑娘来了。"声音很低，几乎听不清楚，似乎是不想让千鹤听见。

"什么时候来的？"

"刚才，好像是特意在打烊前来的。"

"和男人一起？"

"不知道，是一个人进店的。"

"你拖住她。"

"那可不行。你要抓住她就快点过来，我挂了。"

"等等——"

电话被挂断了。

拓实放下电话时，竹美和杰西双双站起，似乎想问个究竟。没工夫说了，拓实飞身冲出烧烤店。

他刚奔到路上，就与一个人撞个正着。对方走得也很急，几乎将拓实撞翻。拓实站直身体，只见时生跌翻在地。

"啊，拓实，太好了。我找到了！"

"千鹤？"

"不，是那栋房子。"

"房子？莫名其妙！"拓实跑了起来。

经过了好几个路口，可他根本没看红绿灯。终于，看到了荒川屋的招牌。他却忽地泄了气，没力气再跑了。

就在此时，从当铺中走出一个姑娘，穿着连帽运动衫和牛仔裤，戴着墨镜。肯定是千鹤！她好像没注意到拓实，朝相反方向走去。

拓实想喊住她，转念一想又作罢了，担心千鹤听到喊声会跑掉。他小跑着跟了上去。

迎面驶来一辆黑色汽车。千鹤为给车让道，靠向路边。她似乎要回头朝后看，拓实赶紧低下头。忽听前面传来一声短促的惊叫，他急忙望去，见两个身穿黑西装的男人正将千鹤往汽车里塞。

"你们干什么？"拓实再次奋力向前冲去。可他刚才一路奔来，此时已力不从心。

千鹤被塞进车后座，汽车急速起动了，差一点就撞到拓实。急闪身躲过汽车时，他与千鹤四目相对。她戴着墨镜，是否真的与他四目相对不得而知，但她的脸无疑是转向了拓实。她似乎很吃惊。

汽车正要开上大道，时生和骑着自行车的杰西出现了，杰西身后坐着竹美。

"拦住那辆车！"拓实大叫。

杰西想拦在汽车前。可汽车撞飞了自行车的前轮，轮胎摩擦地面，吱吱作响，随即开上了大道。

拓实望向车牌，但上面贴着什么，根本看不到牌号。

拓实跑上大路时，汽车已不见踪影。被撞倒在地的杰西和竹美正在拍打衣服，竹美的胳膊肘出血了。

"拓实，那是什么人？"时生问道。

"谁知道？千鹤从当铺一出来就被他们掳去了。看来他们也藏在这里监视着当铺。"

"这可糟了，得赶紧把她抢回来！"

"还用你说？可怎么才能找到他们呢？"拓实搔起了头。好不容易找到千鹤，事态竟恶化了，叫人焦躁不安，无法平静。接下来怎么办呢？

杰西挥舞着粗壮的胳膊，用英语嚷着什么。

"他说什么？"拓实问竹美。

"他生气了，说：'要报仇，伤害了我心爱的 BAMBI，我饶不了他们。'没关系，杰西，Don't worry。"

杰西看着女朋友的伤口，眼露哀伤，然后又嚷了些什么。

"刚才开车的就是昨天那人。"时生突然冒出这么一句。

"谁？"

"去荒川屋的路上，我不是说看见一个人在打公用电话吗？就是他。"

"看清楚了？"

"不会错。以前也在哪儿见过一次。是在哪儿呢？"时生咬着下唇。

"他们恐怕就是你们说过的那些人，姓什么石原的，要找千鹤。"

"估计是。他们怎么会找到这里来呢？"拓实双手抱胸。

时生忽用右拳击了一下左掌，说："想起来了。电梯里。"

"电梯？"

"去 BOMBA 时不是乘了电梯吗？我们刚进去，有个人挤了进来，就是他。"

"是有这么回事。"

拓实也依稀有些印象，那人像是很瘦，相貌不记得了。

"这么说，他们也去了那儿。为什么我们去的地方他们总会出现呢？"

时生迷惑地摇了摇头。这时，竹美开口了。

"这不是偶然的吧，那就只有一个可能了。"她轮番指着拓实和时生，"你们被人盯上了，大概一出东京就被盯上了。"

"我们？不会吧？"

"不，有可能。"时生道，"所以他那时急急忙忙地挤进电梯，光在楼外监视无法得知我们进了哪家酒吧。"

"那又怎样？之后也一直盯着我们？我们在咖啡店里打发时间、在 BOMBA 外面等待时，他们都在监视我们？"

"只怕还不止这些。我们在跟踪竹美她们时，只怕他们也在我们身后。"

"哪有这种……"说了一半，拓实将话咽了下去。他想起那个出租车司机的话了——"那辆车一路跟过来。不会是和你一样，在跟踪那位姑娘吧？"

"那是辆皇冠？"竹美问道。

"嗯，像是。"

没错！出租车司机的话完全正确。他们跟踪了拓实二人，恐怕那天晚上，竹美的公寓也被他们监视了，拓实和时生去百龙时也被盯梢了。

"可既然这样，他们怎么会在这里？要监视我们，他们应该待在百龙附近才是啊，为什么埋伏在当铺这里？"拓实嘟囔道。

"知道千鹤会出现在当铺呗，所以没必要监视我们了。"

"怎么会知道？当铺那个老头说的？"

时生摇摇头。

"只要监视了我们昨天的行动就会知道。你在书店假装看书，盯了当铺几个小时。谁都猜得到千鹤会来。"

非常显眼——拓实想起昨天时生责备他的话。当时他只顾盯着当铺，根本没想到有人在监视自己。

他捏紧右拳，极想打人，可这里无人可打。他只得紧盯着自己落在柏油路面上的身影。

27

当铺主人见四个人突然闯进来，惊得身子直向后仰。

"啊，干什么呀？成群结队的。打烊了，门口不是挂牌子了吗？"

拓实走上前。

"那姑娘的事情跟别人讲过？"

"怎么又是你？跟你不是了结了吗？电话都打过了。"

"她被人掳去了。"

"这倒是可怜，但跟我没关系啊。我只给你打过电话。"

他看样子不像在说谎，还是应该认为他们在监视自己的行动。

"千鹤……那姑娘有没有说联系地点什么的？"

"我昨天就说过，不问客人的联络地点。问了还怎么做生意啊。"

"是啊，方便小偷来销赃嘛。"竹美挖苦道。老头瞪了她一眼，可与杰西四目相对后，又胆怯地缩了缩脖子。

"她带来了什么？还是领带夹？"时生问。

"各种各样的都有。"老头淡淡地说道。

"讲清楚点，今天来卖了什么？"拓实隔着柜台探过身去。

老头板着脸瞪着他，但还是极不情愿地从脚边拿出一个纸袋。"都在这儿了。"

他将袋中的东西一件件摆上柜台：手表、包、墨镜、打火机……琳琅满目。

"这手表是劳力士啊，还是带盒子的新货。"竹美打开盒子，取出手表往手腕上戴，"这可值好几十万呢。"

"喂，别乱动！"老头慌忙阻拦。

"奇怪，全是高档货。今天又花多少钱买下的？"看着这些东西，拓实问道。

"具体多少不能说，反正比上次多。"

上次他说花了十万，这次是二十万？

"这包是路易·威登的。我妈想要来着，一般老百姓可买不起。老头，这些都是真货？"竹美又将手伸向皮包。

"真货。一下子拿出这么多，我自然也会提高警惕。小姐，拜托，弄坏了可就完了。"

拓实没像竹美那样信手触摸，因为每件东西都透着上流社会的威严、品位和霸气，使他踌躇不前。

"千鹤怎么会有这些东西呢？"拓实喃喃道。

"她同伴的呗。需要逃亡资金才卖了。"时生答道。

"男人会有这样的皮包？再说，样样都是新货，这到底是怎么回事？"

"那男的只怕是倒卖水货的。"竹美道。

"啊？"

"贱卖来路不正的东西。"

"喂，喂，可别到外面乱说啊。虽是货物，可也事关本店名誉。"店主的脸色难看起来，"小姐准备把包抱到什么时候？要不干脆你买了吧。"

"不就看一下嘛。嗯，到底是路易·威登，做工真地道。"

她根本无视店主那副提心吊胆的样子，打开皮包开始检查。

"啊！"她将手伸进包内，取出一张纸片看了一下，随即递给拓实，"发现线索了。"

是一张发票，上面有"塘鹅茶室"的字样，日期就是今天。

他们决定坐出租车前往，竹美说与电车钱相差无几。拓实说自己去就行，可竹美不答应。

"千鹤是被掳走的，怎么能交给你们这种路径不熟的人？分秒必争啊。"

竹美给妈妈打了电话，说今天可能上不了班了。看来她当真要一起去找千鹤。

竹美一同前往当然好，可杰西也跟着就有点受不了了。他太显眼了，被两辆出租车拒载后，才好不容易挤上一辆。上了车也非常勉强，竹美要指路，坐在副驾驶座，狭窄的后座坐着三个人，拓实和时生都被挤得紧贴车门。

竹美吩咐司机去塘鹅茶室方向，然后借了交通图，查找发票上印着的地址。

"估计是在府立图书馆一带。"她得出了结论。

在出租车司机的配合下，众人找到了相符的地点。刚驶进要找的街道，竹美指了指前方，道："恐怕就是那儿。"

那是一家茶室，门口的灯照着一块塘鹅模样的木招牌，然而，眼看着那灯就熄了。出租车上的时间显示为八点整。

"不好，要打烊了。快！"

竹美从副驾驶座上跳了出去，时生和杰西紧随其后，落在最后的拓实付了车费。

店门口已经挂上"准备中"的牌子，可拓实不予理会，拉开了店门。眼前是个收银台，一个身穿白围裙的姑娘正在算账，看见他进来便静圆了眼睛。

"我们已经打烊了。"

"我知道。打听点事。"

姑娘闻言露出惊慌的神情，将目光转向里面。店堂不太宽敞，有四张原木质地的桌子，剩下的就是柜台了。所有东西都是木质的，还放着几棵观叶植物，装修风格让人联想到亚洲的丛林。看了钉在墙上的茶水单，拓实才知道这里是红茶专卖店。

里边出来一个穿白衬衫的中年男子，蓄着髭须，胡子和头发都已有些花白。

"有什么事吗？"他平静地说，让人有种笃定地品味红茶的感觉。

"事出突然，不好意思。我们在找人。这是贵店的发票吧？"

经理模样的男子稍稍将目光移开，看了看拓实递过的小纸片。

"不错。"

"今天这个姑娘来过吗？"拓实取出上面有千鹤的照片。

经理问收银姑娘："这位小姐来过吗？"

那姑娘在一旁看了看照片。她大概是服务员。拓实察觉这两人是父女，优雅和蔼的眼角一模一样。

"这照片……比较旧了吧？"

"是的。"

拓实回答后，她点了点头。

"嗯，来过。听口音她不像是本地人，所以还有印象。我还以为她是来旅游的呢。"

"一个人？"

"呃……"

"和一个男人一起来的？"

她轻轻点了点头。

"像是下午两点左右，点了肉桂茶。"

"坐在哪里？"

"那边。"她指着靠窗的桌子，向外凸出的窗台上放着鲜花。

拓实想象着一对男女面对面坐在那儿，其中就有千鹤。她是笑盈盈的吗？感觉很幸福吗？

"记得他们说了些什么吗？"

"客人的谈话是不能听的。"

她有些意外地摇了摇头，经理也不快地抿紧了嘴唇。

"一点就行，"竹美插嘴道，"片言只语也可以。我们要找到照片上这姑娘。"

女服务员有些为难地歪了歪脑袋："他们住哪儿不知道，可我觉得不像是大老远过来的。"

"为什么？"拓实问道。

"结账时，那男子发现忘带钱包了，但并不慌张，那姑娘付了钱。要是从远处来的，应该早就发现了。"

拓实看了看竹美和时生，两人的眼神都表示认同。

28

"我在找一个朋友。她一个星期前离家出走，音讯全无。听说有人在这一带看到过她，所以我一个个酒店地打听。"

竹美将自己和千鹤的合影拿给酒店的前台职员看，又用逼真的演技叙述着台词。头发漂亮地三七开的职员没看透她的把戏，眼神认真地盯着照片。

"嗯，我们这里没有这样的客人。"他略带同情地答道，"大多是出差的，这样的年轻姑娘……"

"估计和一个男的在一起，三十多岁的男人。"

"要是成双成对，应该印象更深，可我不记得。"职员歪了歪脑袋。

竹美谢过此人，出了这家位于淀屋桥车站附近的商务酒店。这已是第四家了，依然没找到千鹤住宿过的形迹。

"那人说得不错，成双成对地入住商务酒店很引人注目。如果正被人追踪，应该不会这样做。"

"那就是情人旅馆了。"拓实道。

"要是只住一天倒有可能。可他们俩应该在这儿待了两三天，住情人旅馆恐怕不方便。"

竹美的想法听起来也很有道理。

"'商务'也不是，'情人'也不是……到底是怎么回事呢？"

四人沿道堂岛川前行。人行道上设置了不少花坛，真是慢跑的绝佳路线。事实上的确如此。尽管已过了晚上十点，他们还不时与跑步的人擦肩而过。

"拓实，下面的事就交给警察吧。"时生说，"无论谁见了千鹤被抓走的情形，都会觉得是绑架。这是十足的犯罪。还是把实情告诉警察，依靠他们的专业调查为好。"

"少啰唆！你给我闭嘴！"

"有必要做到这种程度吗？说到底，她不就是个甩了你、跟别的男人跑了的女人吗？"

拓实停下脚步，一把抓住时生前胸。时生毫不示弱，也瞪着他。拓实握紧了拳头。

"住手。"竹美不耐烦地说，朝杰西使个眼色。杰西立即分开两人，拓实只得松手。

"BAMBI，你也劝劝他。何必老追在甩了自己的女人后面呢？看着都难受。"时生摸着脖颈说道。

"嗯，确实如此，一点派头都没有，可我还是站在他这边，因为救出千鹤是第一位的。"

"所以要报警啊。"

"警察靠得住吗？"竹美耸起一边肩膀，"报警后，他们得知被绑架的是酒吧小姐，就会袖手旁观。他们会以为是黑道在抓逃跑的小姐。非得大阪湾里浮出了千鹤的尸体，警察才会出动呢。"

拓实听到尸体二字，看了看竹美，可竹美好像并非在夸大其词，她眼神锐利地对他点点头。

"并且，"她继续说道，"和警察搅在一起，事情弄不好会越来越糟。在没弄清千鹤究竟有什么麻烦之前，不要公开化，否则她可能会被警察抓起来。”

“如果千鹤犯了罪，被警察抓起来，也是她自作自受。你虽是她的朋友，也不应该帮她。”时生说。

“你这种清高的话只配在小学的道德课上说说。”竹美扭过脸，拔腿就走。杰西跟了上去。

“你小子要是不愿陪我们就走远点。”拓实对时生说。

“我不是这个意思。我是说没必要去冒险，反正你和她成不了，和你结婚的是另一个——”

时生还没说完，拓实的手就到了，但不是拳头，只是用手掌轻轻地甩了他一记耳光。但竹美还是听到了动静，扭头道：“不是说过叫你们别胡闹了吗？”

“你知道什么？你以为你是谁？诺查丹玛斯？”

“我……我知道。”

“随你怎么说吧。”拓实转过身，朝竹美他们走去。

时生小跑着追了上来。

“行，我也出一份力，不过你要答应我一件事。今天，我找到了那栋房子，模样和那本漫画上的一模一样，你就出生在那里。”

拓实不由得停下脚步。

“你怎么知道那就是我家？”

“有活着的证人。”

“谁？在哪里？”

“这个……现在不能说，希望你们直接见面。”

“胡说八道！”

“这对你将来有好处。答应我吧，求你了。”

“好了，好了，真啰唆。等找回千鹤，要去哪儿都依你，不过，今后别再对我做的事说三道四，要是不愿意就别跟着了。”

"OK。我又不是不想帮千鹤，只是不想让你去冒险。"

"自己的女人被人抢了，还顾得上什么危险不危险？"

拓实脱口而出，随即意识到"自己的女人"这个说法不太贴切。但时生没说什么，看来他倒是立刻执行了"不再说三道四"的承诺。

四人默不作声地走着。不久，路的左侧出现了一幢西洋风格的建筑，招牌上写着"CROWN HOTEL OSAKA"（大阪皇冠大酒店）。

竹美率先停下脚步。"哦……"

拓实猜到了她的心思，冷哼一声。

"这可是很高档的酒店，跑典当行的千鹤他们怎么会住在这里？"

"不，我认为就在这里。"竹美将脸转向河面，指着对岸，"这儿离塘鹅也很近，过了桥就到。"

"就根据这点？"

"还有一个——路易·威登。"

"怎么？"

"塘鹅的发票就是在那个包里发现的，可见包被千鹤用过。劳力士等都是崭新的，为什么要用那个包呢？理由只有一个，为了让人看。千鹤住在必须注重外表的地方。"

"所以是……高档酒店？"

有道理。拓实不得不服。

"估计你不知道，这种高档酒店里有高档餐厅。出入这种场所时，女人不仅要穿正装，首饰啦包啦都有讲究。"

"这我明白，可千鹤他们正在逃亡，住这么有名的酒店不危险吗？"

"这就是盲点，追踪者也不会想到他们住在大阪中心地段的一流酒店。这估计是千鹤的主意，她有时会有这种大胆的想法。"

"还没确定他们就住在这里啊。"

四人走近酒店。一辆出租车驶来，停在正门前，下来了一个胖男人，身上的灰西装裁剪得体，接着又下来一个身穿淡粉色套装的胖妇人，让人觉得她平时净吃些山珍海味。衣冠楚楚的门童毕恭毕敬地迎上前去拿过行李，将他们引入酒店。

"门童看都不看我们一眼啊。"拓实说。还有两个门童站在那儿。

"他们知道真正的客人是不会徒步走来的，我们的衣着也有些问题。"

"倒也是。"拓实看着玻璃中映出的衣服，表示同意。

四人穿过两道自动玻璃门，进入酒店。天花板上吊着一盏巨大的吊灯，照耀着锃亮的地板，四周如同白昼。大堂里有一些颇具品位的男女谈笑风生。靠里面的柜台前，那对胖夫妇正在办理入住手续。接待他们的职员动作如机器般非常精确，毫无多余举动，估计也确实很少出错。前台的角落里挂着一面显示汇率的标牌。

"看样子，在商务酒店的办法估计不管用了。"拓实小声说。

"是啊。他们多半会说，不能随便透露客人的信息。这酒店是信用第一嘛。"

"怎么办？"

竹美哼了一声，双唇紧抿，随后，不知为何抬头看了一眼杰西。杰西很困惑，眨了眨眼睛。

"不知道行不行，试试吧。"

"有什么好办法？"

"不敢说好，但值得一试。"

在一根粗柱子后面，竹美说出了计划，大部分都是用英语，因为计划成功与否关键在于杰西。

"明白了吗，杰西？"竹美最后用日语确认。

"OK。交给我了。"杰西拍了拍胸脯。

拓实和时生左右夹着杰西向前台走去。竹美依然躲在柱子后面，根据计划，她不能露面。

或许是由于时间已晚，前台已没有客人。他们走近用英文写着"接待处"的牌子，立刻有一个戴眼镜的职员站到对面。他警惕地看着拓实和时生，但可能是因为他们中间还有一个黑人，他的眼神有些紧张。

"三位刚到达吗？"长着一张黄鼠狼脸的职员问拓实。

"不。他是从美国来的游客，说有一位日本朋友住在这儿，我们就把他带来了。"

"啊……"前台职员抬头看看杰西，又将视线转回到拓实脸上，"和那位下榻本店的客人联系一下，就可以了吧？"

"是啊，可他把名字忘了。"

"不知道姓名？"

"是的。"料想千鹤他们也是用假名字登记的。"但有照片。Hi，Picture，Please。"就说了这么一丁点英文，拓实腋下就冒汗了。他的英语是上了高中后才学的。

杰西拿出那张照片，指着千鹤说了句什么，估计就是说就是她。竹美就是为了这个才躲起来的——如果与千鹤一起拍照的姑娘站在身边，就不能说不知道她的姓名了。

职员拿过照片，但只看了一眼就放下了。

"对不起，光看照片有些难度，客人太多了。"

这个答复在意料之中，拓实说起商量好的台词。

"那你和他说一下吧，我们的英语不太行。"

"啊，好。"

职员开始对杰西说起来，毕竟是一流酒店的，英语很棒，拓实一点也没听懂。

杰西也说了什么，语气较为粗暴。职员有些慌了。

"他说什么？"拓实问道。

"啊，他说好不容易从美国来到这里，打算就这样打发他回去吗……"

"你说要将他打发回去？"

"没有，没有，我尽量说得很礼貌。"

杰西又开始叫嚷，还不停地挥舞着粗壮的胳膊。职员则露出竭力分辨的神情应对。

"他又说什么？"拓实问道。

"说是不是因为他是黑人，才故意不告诉他。我没说过这种话呀。"

"能帮他找找照片上的姑娘吗？"时生说道。

"光凭照片实在难找啊……年轻女客太多了。她独自入住，还是与男士一起？"

"大概是和男人一起。"时生答道，"一个三十来岁的男人。"

"那就更不知道了。这种情况一般都是男士来办入住手续的，我们很少与女客见面。"

"那你跟他说啊。"拓实用大拇指指了指杰西。

职员比画着说了起来。可杰西非但不认可，反而大声怒吼，大堂和休息区里的客人开始朝这边张望。

"糟了！怎么跟他说才好呢？"职员一脸狼狈。

"你到底跟他说了些什么？"拓实问道。

"就是刚才跟您说的那些啊，要是女客与男士一起，是不会与我们打照面的……"

"可他相当生气啊，好像比刚才更生气了。"

"啊……不知道怎么冒犯了他。"

杰西还在叫喊，两条胳膊挥得更起劲了。差不多了吧，拓实在一旁看准时机，咬紧牙关，走近一步。按计划，应该是杰西的胳膊肘碰到他的脸颊，他趁势倒地引起人们注意，可不知是拓实时机掌握得不好，还是杰西得意忘形，杰西黝黑硕大的拳头结结实实地袭向拓实面部，他顿时失去了知觉。醒来时，他发现自己仰面朝天躺在地板上。有人在拍他的脸，是时生。四周已经围了一堆人，黄鼠狼脸职员战战兢兢，双腿发抖。

神色慌张的门童跑过来抬人。杰西还在大声叫喊着什么，一个酒店管理人员跑来跟他打招呼，他才渐渐平息下来，跟在拓实后面。

三人被领进前台后面的办公室，接待他们的正是与杰西搭话的花白头发的管理人员，似乎相当资深。

"伤势怎么样？"他问拓实。

"没事，不用担心。"拓实用湿毛巾捂着右眼答道。

"都是我们说明不当，得罪了外国客人。你们在找一位小姐？"

"就是这个姑娘，"时生拿出照片，"但这是两三年前的照片了。"

"哦，此外还有什么特征？或者是与她一起的男士？"

"那男人三十多岁，身材瘦小。"拓实说出在百龙听到的情况。

花白头发歪了歪脑袋。"仅凭这些……"

"还有，他们不光今天住这里，昨天，估计前天也是。"

"连住了三个晚上？那样范围就小了。"

"也可能更久。"

"哦，请稍等。"

几分钟后，那人回来了，手里拿着一张纸。

"一行两人、连续住了三个晚上的客人只有两组。"

"能看一下吗？"

拓实伸出手，那人却将纸收了回去。

"对不起，这涉及客人的私人信息。"

"听他说，"时生看了一眼杰西，说道，"是从东京过来的。"

"哦，"那人看了一眼那张纸，"这两对登记的住址都是东京。"

怎么会这么巧！拓实真想咂嘴。

"有一对是夫妇，估计不是你们要找的，男方已经六十五岁了。"

"另一位男客的年龄是多少？"时生探身问道。

花白头发犹豫了一会儿，道："三十三岁。"

拓实与时生对视一眼。年纪对得上。

"女客的名字没写吗？"时生问道。

"嗯。只写了男客姓宫本。"

"宫本？"拓实站起身，一把从花白头发手中将纸抢过。

"不可以！"花白头发低呼一声。

那是张住宿单的复印件。姓名栏中写着宫本鹤男，笔迹有些眼熟，无疑出自千鹤之手，是她办的入住手续。

拓实记下房间号码，向时生使个眼色，将纸递还。

"对不起，看来不在贵店。"

"是吗？"花白头发明显松了口气，"这位先生认可了吗？"他看着杰西。

"我们来让他认可，麻烦你们了。"拓实拍了两下杰西的肩膀，站了起来。时生依样而为，杰西也慢吞吞地站起身。

"谢谢你。"杰西用带着大阪口音的日语说道。

三人将目瞪口呆的花白头发撇在办公室里，扬长而去。

29

三人一回到大堂，竹美马上走上前来。

"看你们的脸色，好像进行得很顺利啊。"

"拿下，一二一五室，没错，千鹤果真在这儿。你的眼光真厉害。"

"嗬，你竟然也会称赞人！"竹美颇觉意外地睁大了眼睛。

"杰西的演技真棒，"时生赞道，"可以得奥斯卡奖了。"

"行啊，杰西。"

杰西笑了起来。"奥斯卡奖，拿来。"

乘电梯到了十二层，只见走廊上铺着厚厚的褐色地毯，四人边走边查看房间号码。多亏地毯厚，听不见一点脚步声。

他们来到一二一五室门前，决定这次由竹美出马，其他三人分候门两侧，贴墙站立。

竹美敲敲门，没有回应。冈部外出了？

刚想到这儿，她就听到开锁的咔嚓声，紧接着门也开了。

"谁？"是男人的声音。门链依然挂着，门只开了约十厘米。

竹美站到缝隙前。

"晚上好。突然造访，十分抱歉。我叫坂田竹美。"

"坂田小姐？"

"是的，我是千鹤的朋友。没听千鹤说起过吗？她来到大阪那天，我和她见过面。"

"是在宗右卫门町开酒吧的那位？"

"是的。"

"哦。"男人声音中的警惕消失了，"是千鹤告诉你这个地方的？"

"嗯，这里面有许多内情，"竹美含糊地说，"我有些话想说，千鹤还没回来吗？那么……"

"哦，请稍等。"

门先关上了，随即传来摘链子的声音。竹美飞快地看了拓实一眼。拓实点点头，抓住了门把手。

就在门被推开的同时，拓实猛拉把手。那人惊呼一声，直向外跌。拓实一把将他推了进去，随即闯进房间。竹美等人也跟了进去。

"啊，你们想干什么？"那男人尖叫道。他又瘦又矮，脸色苍白，略显憔悴，一双眼睛在金丝边眼镜后面虚张声势地瞪着。

"你姓冈部？"拓实问道。

"你们是什么人？"那人看着竹美。

"别担心，不是敌人。"

"我再问一遍，你是不是冈部？"

那人看着拓实，生硬地点了点头，苍白的脸颊上泛起红晕。

拓实生起想揍他一顿的冲动。就是这个人抢走了千鹤，这么个穷酸相的小男人，竟在这张双人床上抱着千鹤睡觉！

"拓实，"看透他内心的竹美说道，"算了吧。现在可不是对他动怒的时候。"

拓实看了看她。能算了吗？他用眼神诉说道。他咬紧白齿，将力气运到右手上，推了一把冈部的前胸。冈部叫了一声，倒在床上。

"干什么？"

"闭嘴！你犯了什么事我不知道，干吗要将千鹤卷进来？"

冈部露出一副莫名其妙的神情，用求救的眼神望着竹美。

"千鹤今夜不会回来了，被他们掳去了。"

"啊？"冈部睁大了眼睛，"被他们发现了？"

"她走出当铺时，被他们抓去了。我们想救她，但迟了一步。"

"那地方怎么会……"冈部大惑不解。

自己被人盯梢了，这话拓实说不出口。

"你刚才说是千鹤的朋友，是说谎吗？"冈部问竹美道。

"没说谎。坂田竹美是千鹤真正的朋友。"

"他呢？"

"嗯，我也不太清楚，好像是千鹤的男朋友。"

冈部胆怯地望着拓实。"这么说，是浅草的……"

"听千鹤说起过？"

"说是有过这么个男朋友，但已经分手了……"

"我可不记得分手。"说出口后，拓实才觉得这话太惨了，无异于自我伤害。他低下了头。

"拓实，你看。"是时生在叫他。时生在查看一个靠墙放着的大箱子。箱子已被打开，里面装了大大小小各式盒子。"手表、装饰用品，都是新的。"

"那是什么？"拓实问冈部，"绑架千鹤的是什么人？"

"和你们没关系，是大人物之间的事情。"冈部转过脸去。

"你小子算是上流社会的吧，为什么要将千鹤卷进去？"拓实揪住冈部的衬衫领口。

"冷静点！"竹美分开了他们，"冈部先生，那些人没和你联系吗？"

"没有。"

"这么说来，千鹤还没招出这里。冈部先生，你知道这意味着什么吗？"冈部默不作声，竹美又道，"千鹤被抓已超过四个小时。那些浑蛋为了问出你在哪里，肯定用了各种手段，可到现在还没跟你联系，说明千鹤忍下来了。她是在保护你，你还装得若无其事？你还像个男人吗？"

冈部将脸扭向一边，脸色有些发青。

然而，这番话对拓实的伤害远在对冈部之上。一想到千鹤不知受到何种私刑折磨，他就浑身发颤。可千鹤忍受煎熬，却是为了保护这个瘦小的男人，这个事实令拓实大受刺激。

30

拓实在狭窄的房间里走来走去，时而哼哼几声，时而大吼大叫。时生靠墙抱膝而坐，冈部在他面前正襟危坐。竹美盘腿坐在床上，杰西横躺着。时间已过零点，但谁都不想回去，也不想睡觉。

"真郁闷。你来回溜达，就像动物园里的狗熊。"指间夹着香烟的竹美说道。她正盯着电视播放的深夜节目，像是老电影似的，是黑白的。

"这种时候还有心情看电视？"

"你满屋子打转不也无济于事？你能有什么手段？没有吧。只能等对方过来。"

"千鹤不说，他们不会知道这里。"

"千鹤会说的。再怎么坚持也有限度，她坚持不到天亮。"竹美的语调与其说是平静，不如说透着冷峻。

拓实没反驳，却抓住了冈部的肩膀。

"你小子快坦白！为什么要带千鹤到这里？他们到底要什么？为什么追踪你？"

"不是说过好多遍了吗？本来是与千鹤没有关系的。我工作上出了点事，要来大阪躲一阵子，才带她来。就这些。"

据他说，他常去紫罗兰酒吧，与千鹤熟识了，后来又一起吃过几次饭，对千鹤越发倾心，开始考虑与她正式交往。就在这时，出事了。

有关一起来大阪的事，千鹤曾说要考虑考虑，可过了两三天就同意了。坐新干线时，她坦承有男朋友，又说已下决心与他分手。分手的原因她没细说，冈部也没问。

"所以问你出了什么事？你到底是干什么的？"

一问到这个问题，冈部就闭口不言，连名字也不肯说。众人搜了他的身，好不容易才找到一本驾照，得知他名叫冈部龙夫，以及他的住处、籍贯、出生日期和领到驾照的日期，仅此而已。名片之类的一无所获，似乎已被他处理掉。

"你知道千鹤在受怎样的罪吗？"拓实怒吼道。

"我也很难过，但有什么办法呢？我也不知道她被带到哪里去了。"

"掳去千鹤的是什么人？知道了这个，说不定就能找到他们的藏身地点。"

冈部摇摇头，额头上泛着油光。

"知道了对你们也毫无益处。他们不是乌合之众，没有固定的藏身处。这和黑帮片可不一样。"

"说什么？阴阳怪气。"拓实揪住冈部的衣领，提了起来。冈部的脸都扭曲了。

"拓实！"时生从背后抓住他双肩，"你揍他也没用，千鹤不会因此而回来。"

"出出气罢了，让我揍几下。"

"住手！"时生转到拓实面前，"你这么做就没风度了。千鹤是自愿跟他来的。"

"这只是他的一面之词。"

"千鹤不是留了纸条吗？内容与他说的对得上。"

拓实瞪了时生一眼，松了手，接着环视众人。

"有了！这家伙不开口，我也有办法。"

"你想怎样？"竹美目光锐利地看着他。

拓实从夹克口袋里掏出一张纸条，上面写着电话号码，时生见过这个。"石原裕次郎的电话号码。"

"要和石原联系？"时生睁大了眼睛。

"不是联系，是交易。"

"他们可是干这一行的，我们主动跟他们接触很危险。他们还不知道我们找到了冈部。从千鹤嘴里问出这个地方后，会利用她将冈部叫出去，对吧？那时就有机会了。"

"我可不管他们是干哪一行的，反正这种磨磨蹭蹭的做法我受不了。我用我的办法，别拦我。如果要拦，你们就马上拿出能找到千鹤的办法来。"拓实挨个指着竹美、时生、杰西甚至冈部的脸，说道。

"行啊，这也是个办法，我也会作好准备。不过，事前得研究好作战计划。"竹美告诫道。

"婆婆妈妈的，真麻烦。我说过要用自己的方法了，别插嘴。"拓实走到床头柜前，拿起电话听筒。

"拓实！"

时生想阻拦，但竹美说了声"随他去"，将他拦下了。

"反正这个地方暴露只是时间问题，随他怎么做好了，碰碰运气吧。"

拓实边听边按下按键。

电话接通了。"喂，谁啊？"传来一个年轻男人粗鲁的声音。拓实听出此人不是石原。

"石原在吗？"

拓实的声音也很年轻。对方一听便耍起威风。

"你是哪儿的？"

"你别管我是谁，我要和石原通话。"

"无名无姓的啊。他说过，这种电话不用转，我挂了。"

看来他当真要挂断，拓实急忙道："等等！我是宫本。"

"哪里的？姓宫本的人有的是。"

"浅草的宫本，宫本拓实。你就这么说，他知道。"

"宫本？好，我去叫。你那边的电话号码？"

"我要马上跟他通话。"

"开什么玩笑？现在几点了？告诉我号码，待会儿打过去。"

"有要紧事。他告诉我这个号码时，说随时都可以打。你别管那么多，快叫他来接，他不会进被窝的。你要是不听，石原可要收拾你。"

过了片刻，对方问："什么要紧事？我要先转告他。"

"冈部的事。只要说这个，石原就明白了。"

对方又沉默了一会儿，似乎在思索冈部这个姓氏。

"你等着。"对方说道。

拓实用手捂住听筒，做了个深呼吸。他腋下已经出汗。时生也紧张地看着他，竹美拿过酒店里的便笺，沉思起来。

对方有了动静。

"和他联系过了，马上给你接过来。"说完，传来了轻微的碰撞声。"行了，可以讲了。"那人说道。

"喂？"拓实说道。

"宫本吗？久违了。"传来一个熟悉的声音，但听起来比较远。

"石原？"

"是我。对不起，能再大声一点吗？两个电话听筒凑在一起呢，我现在不在东京。"

"知道。"拓实道，"在大阪，对吧？"

石原笑了。"真有意思。大家都在大阪，电话却特意打到东京，让话筒颠倒相连。"

"盯我们盯得很辛苦吧，连名古屋都去过了？"

"嗯，底下的小伙子说真够呛，怎么也没想到你会去和式点心店。"

"那店可和千鹤无关，和冈部也没任何关系。"

"知道，知道。说说冈部吧。"

"你们抓了千鹤？"

"我问的是冈部。"

"一回事。千鹤没事吧？这一点不明确，我不会跟你说。"

石原的声音没有马上传过来。拓实以为他沉默不语，但仔细一听，原来他在低笑。

"小兄弟，你再关心这个就奇怪了。她不已经上了别的男人的床吗？她情况怎样和你又有什么关系？"

"快说！千鹤是不是没事？"

"小兄弟，你先说说冈部的事。"

拓实喘了口气。本想让对方先说，但现在无可奈何。

"冈部找到了，就在我身边，跑不了，正看着呢。"

电话那端"哦"了一声就没了声音。这次石原好像果真沉默了，似乎在思考什么。不一会儿，他开口了："干得不错啊。但真是冈部吗？"

"真货。身高一米六多一点，瘦瘦的，脸色苍白，戴着金丝边眼镜，一副书呆子模样。读给你听驾照上的内容吧，地址……"全部读了一遍后，拓实说，"怎样？还怀疑是假的？"

"看来倒是真货。"

"这下你可以说了吗？没对千鹤怎样吧？"

"具体情况不太清楚，我将她交给一帮小伙子了。"

拓实一阵心痛，眼前出现了千鹤扭曲的脸。

"告诉那帮小子，再怎么难为千鹤也没用了。我们会带冈部出去。即使撬开了千鹤的嘴，等你们过来时，冈部也不在了。"

"哦，你想怎样？"

"和你做个交易，用冈部换千鹤。你们要的是他，对吧？这交易对你们来说应该不坏。"

"嗯，"石原叹了一声，"确实不坏。"

"成交？"

"可以，就按你说的办。现在就带那妞过去。"

"那可不行。我一说这里的地址，你们就发起总攻，那可受不了。在别的地方交换。"

"不相信我们啊。行，去哪儿？"

"这个……"

拓实还在思索，竹美在便笺上写了些什么拿给他看——"道顿堀桥上"。拓实皱起眉头。道顿堀？在那么热闹的地方？竹美充满自信地点了点头，拓实便也拿定了主意。

"在道顿堀，将千鹤带到格力高大招牌旁的桥上。"

"道顿堀？真会挑地方。"石原似乎在苦笑，"时间呢？"

"呃……"拓实看了看竹美，她在便笺上写下"明早九点"。

拓实看着便笺默不作声。

"喂，怎么了？"石原催促道，"到底什么时候？喂，小兄弟，听得见吗？"

"听着呢。"

"怎样？什么时候？"

"一小时以后。"拓实回答。他知道竹美已将嘴巴张成 O 形。

"一小时后，道顿堀。行啊，一会儿见。"

听到对方挂断电话，拓实也放下听筒。

"喂，你到底想怎样？"竹美果然发起了攻击。

"怎么了？"

"你知道为什么要挑那座桥？因为那儿人多，他们不敢乱来。你现在把时间定在半夜三更，还有什么用啊！"

"还有九个小时，怎么等得了？设身处地为千鹤想想。"

"我也担心千鹤，所以，一定要使这次交易成功。这样就要尽量挑选安全的时间。现在他们知道要交换冈部，就不会再难为千鹤了。"

"少啰唆！不是说了吗？我要用我的方法来解决。"拓实从皱巴巴的烟盒中抽出一支艾古叼上，拿过酒店里的火柴，却怎么也擦不着，直到第三根才好不容易点燃。

"你们以为他们会乖乖交还千鹤？"冈部说道。

拓实没出言呵斥，瞪着这个戴金丝边眼镜的男人。

"他们可没这么好对付。"

"要交换你小子，他们也只有交出千鹤。"

冈部摇摇头。

"他们当然想抓住我，但并不会因此放了千鹤。他们以为千鹤已经知道了秘密。"

"啰唆什么！"拓实冲着冈部胸前就是一脚，"不就是你将千鹤卷进来的？我不知道你犯了什么事要逃跑，自己都这样了，还有心思泡女人。"

冈部被踢倒在地，捂着胸口坐起身子，扶了扶眼镜。"确实是有些轻率，但当时我需要一个精神支柱。"

"开什么玩笑？什么精神支柱？少在那儿装腔作势。"

拓实又要踹他，时生挡在冈部面前。拓实连抽了几口烟，在烟灰缸中捻灭烟蒂，径直朝房门走去。

"去哪里？"竹美问道。

"外面。马上回来。"

"过十分钟就回来啊。"

拓实没有回答，径自出了房间，走过走廊，按下电梯上行按钮。不一会儿，时生追了上来。拓实想，又是这厮！

"你要去哪里？"

"不是说去外面吗？"

"那就往下吧。"时生按下了下行按钮。

"不，我要上楼顶。"

"楼顶？去不了的。这种酒店里可去不了。"

"为什么？"

"只有大人物才行。"

下行的电梯先到了。时生走了进去，对拓实招招手。拓实不情愿地走进去。

"真受不了。"

"什么？"

"这种地方将人分成三六九等的做法呗。穷人往下，有钱人才能上楼顶。"拓实用大拇指指指地板，又指指头顶。

时生缩了缩肩，什么也没说。

出了酒店，跨过门前的大道，眼前就是堂岛川，左右都有大桥，风中略带湿气。

"喂，你怎么认为？千鹤为什么要跟那个蔫不拉叽的家伙？他到底有什么好？"拓实问道。

"这个……"时生歪了歪脑袋，"我认为，是因为稳定、有前途什么的，千鹤才选了他。你也看见了冈部带着的那些东西，还有西装，全是高档货。他再怎么说也是某处的精英。千鹤肯定也比较了很久，才得出跟他不吃亏的结论。无论如何，这世道还是要讲学历、讲出身。上流社会人家的少爷，人们总是另眼相看。"

时生长叹一声。"怎么又说这个了。竹美不是说了吗？发给你的牌不算坏。"

"她哪里知道我的境况？"

"你就抛开这无聊的心结好不好？既然死守这个，不更应该好好查查自己的身世吗？刚才我们可说好了。这件事一处理完，就跟我一起去你出生的地方。"

"又是这事，你可真缠人！"

"你承诺过。"时生用少见的严厉目光盯着拓实。

拓实搔了搔后脖颈，轻轻点了点头。现在根本没工夫来想这件事，可这个来历不明的人说的话，却触动了拓实心中的什么东西。

"该回去了。"时生转过身。

"喂！"拓实朝着他的后背喊道，"别装了，快坦白吧。"

时生停下脚步，转过头来："坦白什么？"

"你到底是谁？真是我的远亲？没瞎说吗？"

时生望了一眼远方，平时柔和的表情不见了。他直视着拓实，说道："可以说不出所料，我的确不是你的亲戚。"

"果然。那么你到底……"

"我，"时生真挚地望着拓实，"是你的儿子。宫本拓实先生，我来自未来。"

31

"再过几年，你会结婚生子。你将给你的儿子取名为时生，时间的时，生命的生。那孩子长到十七岁时，因某种缘故而回到过去。那就是我。"

时生面对着一脸茫然的拓实，平静地说着。

"其实，我现在这个样子是借来的，借用了生在当代的某人的躯体。至于为什么会这样，我也不明白。估计多想也没用，并且，我有事要做，就是找到你。线索只有花屋敷这一条，但已经足够——已经找到你了。命运还真不错。"

说到这里，时生终于露出笑容，像是见了拓实的反应，觉得很有趣。

拓实发了一阵呆，若在平时，他绝不会听这种无稽之谈。但他竟然听得出了神。吸引他的不光是内容，还有时生说话时的神情。

他回过神来，大声地咂了咂嘴。

"这种时候怎么还净说些无聊的废话，谁叫你编故事吗？"

时生笑着搔了搔头。"看来难以置信。"

"这还用说？现在连小学生都对这种故事不感兴趣了。"

"那就没办法了，还得说是远亲。"时生指了指酒店，"回去吧。"

两人一回到房间，竹美就歇斯底里地叫嚷起来，说要做这种交易，理应早于约定时间到达现场，熟悉四周情况。

"这个我也懂，有必要嚷吗？"

"我可说在前头，要是错过这次机会，也许就找不回千鹤了。"

"知道了。别烦了好不好？"拓实抓起冈部的胳膊，"走了，快点。"

众人簇拥着冈部出了酒店。拓实和竹美将冈部夹在中间，乘出租车直奔道顿堀，时生和杰西上了另一辆出租车。

"为慎重起见，我提醒一下。就算交易顺利完成，你们也小心为妙。因为他们会疑心，你们已经从我嘴里知道事情真相了。"

"到底是什么事情？就是你说的什么工作上的失误？"

"嗯，是啊。"

"我们知道了又能怎样？一点好处也没有。"

"这世上不能让普通人知道的东西多的是。"

"你不是普通人？"

"我，"冈部用食指推了推眼镜，"我们是棋子。你们等一会儿要见的人也是棋子，连普通人都不是。"他白净的脸愈发苍白。

出租车沿御堂筋南行。到了心斋桥筋，竹美示意司机停车。

"道顿堀不在前面吗？"

"就在这里下好了。"

三人下车站到路旁，后面那辆出租车也停下了。

"他说得不错。"竹美看了看冈部，"那些人不会轻易交出千鹤，至少不会将千鹤带到桥上。"

"那我们怎么办？"

"一样。我和拓实先去交易地点，时生和杰西带着冈部在别处等待。"

"别处？你的酒吧？"

竹美摇了摇头。

"那里他们已经知道了。附近有一家我朋友供职的酒吧，就去那里。"

"OK，就这样。"

拓实再次觉得幸亏认识了竹美。若没有她，大概想不出什么战术。当然，以现在的心情，他说不出感谢的话语。

竹美又对杰西说了些什么，估计是嘱咐他在酒吧待命。杰西与时生点点头，带着冈部走了。

"那人有点怪。"竹美低声嘟哝道，似乎在说时生。

"哦？"

"刚才你出房间，他不是去追你了吗？你知道他出门前说了什么？"

"我怎么知道？"

"他说：'看他那股孩子气就难受。'他指的是你，对吧？我当时就觉得他的语气真怪。你知道是怎么回事吗？"

"不明白。"拓实扭了扭脖子。

竹美提出，走在空无一人的心斋桥筋太笨了，对方肯定会监视。走在御堂筋就好多了，有什么情况可以跳上出租车就跑。拓实当然不愿意对竹美言听计从，但他也注意到了这一点，就同意了。

快到凌晨两点了，但人行道上的行人依然很多，其中有不少醉汉。待客的出租车司机有时也呆呆伫立。人多虽然会令人放松一些，但一想到或许敌人也混迹其中，又紧张起来了。

两人一路无事地来到了道顿堀。这时，桥上已人影稀疏，大部分霓虹灯也关掉了。一些无家可归的流浪者在桥栏杆旁铺了席子睡在那里。

"敌人想必快出现了。"

"照你的说法，应该早就来了，并且正在监视我们。"

"也许。"

拓实看了看四周。一些形迹可疑的男人不知从什么地方冒了出来，很快又消失在街巷里。在眼下这个时段，这种不三不四的人居多。拓实对自己不顾竹美的安排，要在深夜进行交易的做法有些后悔了。如果现在在场的都是敌人，己方将束手无策。

"啊？是他们吧。"竹美用下颌指了指河对面。

拓实望了过去，见两个身穿黑西装的男人站在那里，其一无疑就是石原。他面带冷笑，正注视着他们。

32

拓实瞪着石原，同时扫视左右——没有千鹤的影子，竹美说得丝毫没错。

他开始慢慢地过桥，竹美默不作声地跟在身后。这个女人真不简单！拓实脑海中不由得浮现出那刺青的模样。

石原的同伴很高，眉间皱纹很深，目光锐利，比石原年轻得多。拓实走到他们面前，停下脚步。

"千鹤在哪里？不是说好要带来吗？"

石原怪笑着看着拓实和竹美。"你们不也是空手而来？"

"不还千鹤，我们不会交出冈部。"

石原仍在笑，眼中却显示出某种阴暗的企图。

"小兄弟，你们有当真扣住了冈部的证据吗？"

"我们不会说谎。"

"你是江户儿，我愿意信你，但这儿可是大阪。不是说入乡随俗吗？不讨价还价是做不成生意的。再说你身边这位小姐也非同一般。"他朝竹美笑了笑。

"你们真的带千鹤来了？"

"小兄弟，真是毫不松口。我说过了，我们要找的不是你女朋友，

212

哦……"石原用手遮住了嘴巴，"现在已经不是女朋友了，应该说是前女友。"

拓实咬住了嘴唇，石原幸灾乐祸地看了他一会儿，说了声"跟我来"，抬腿就走。

走到御堂筋，石原停下脚步，用下颌指了指马路对面。"在那儿。"那里停着一辆黑色丰田皇冠，驾驶座上坐着一个年轻男人，后座上有一个熟悉的侧影。驾驶座上的人先注意到了拓实，便跟后座上的人说了句什么。于是，千鹤也将目光投向拓实。她很吃惊地张开了嘴。

拓实想横穿马路过去，但被石原的手下抓住了胳膊。其实路面很宽，车水马龙，也不能硬闯过去。

"喂，我们的牌已经亮了，该你了。"石原说。

"将千鹤带到这儿来。"拓实说。

石原脸上的笑意顿时消失得无影无踪。

"别耍花样，小兄弟。我已经忍很久了。"

拓实长叹一声，回头看了看竹美。

"和时生联系一下，叫他们把冈部带来。"

"知道了。"竹美瞥了石原一眼，快步跑开，像是去打公用电话了。

"那妞不是更好吗？"石原目送着竹美的背影说道，"换一个怎么样？这样你不就没这么多麻烦了？以前也说过，我们还要感谢你呢。"

"她有主了，是个大个子美国人。"

"哦，听说了。手下的小伙子都说不好对付。"

"就是他带冈部来交换。你们可别打算抢了冈部，不还千鹤。"

"别担心，我们不使这种下三烂的招儿。话说回来，你们能找到冈部，还真行啊。"

"这里的构造与你的手下可不一样。"

拓实指了指太阳穴，高个子顿时急红了眼，向前跨了一步。

"行了，行了。"石原笑着将他劝住，"就是他们找到的，有什么可说的呢？"高个子愤愤地将目光从拓实身上移开。

拓实看着马路对面，见千鹤神色惊慌地看着自己。

"放心吧。"他在心中呼唤道，"马上就来救你了。"

另有一辆车停在了皇冠旁边，是一辆黑色的日产天际线。石原朝驾驶座上的男人点点头，像是要用这辆车将冈部带走。至于他要将冈部带到哪里，拓实毫不关心。

"真慢啊，他们在磨蹭什么？"石原看了看手表。

拓实也朝竹美去的方向看去。这时，高个男子叫了起来："啊，是他们！"

路对面有几个人开始扭打起来。仔细一看，其中之一正是杰西。他要拉开后车座的门，救出千鹤。石原埋伏在附近的手下正在阻止，但他们的对手毕竟是杰西。从正面靠近的人立刻被打翻在地。

皇冠没有开动，因为竹美已经跟司机扭打起来，一个男人又从竹美身后扑向她。

石原转向拓实，瞪起眼。"竟敢骗我！"

"我也不清楚怎么会这样。"

看来是竹美和杰西对皇冠发动了突袭，可拓实全然不知原因何在。为什么他们不带冈部过来？时生又在哪里？

"走吧。带上这小子。"

石原话音刚落，高个男子的拳头就击向拓实的下腹。他呻吟着弯下了腰。光顾着看竹美他们，大意了，对方的出拳也确实很快。这厮也是专业的，拓实强自支撑不让自己蹲下时，心中想道。

等他清醒过来时，已被塞进了汽车，双手被反扭到背后，手腕上还戴上了什么东西。他刚意识到那是手铐，脸就被一下子摁在坐垫上。没容他出声，汽车就开动了，可以感觉到加速很快。

"想干什么？嗯，以为能骗过我们？"声音从前面传过来，看来石原正坐在副驾驶座上。

"说了，我不知道。我也觉得很突然。"拓实呻吟着说道。

石原没理他，似乎在辨别这话的真假。

"果真找到冈部了？"

"真的。那小子和千鹤住在酒店，皇冠大酒店。"

"中之岛的那个？"

"是。"

"嗯，原来在那儿。"

石原再没开口，也没对手下说什么。

不知驶过什么地方，也不知开了多久，车停了下来。开了车门，石原等人下了车。"下车。"高个男人揪着拓实的衣领说。

那里像个工厂或仓库之类的场地，空无一人，灯光暗淡，连脚底下都看不清楚。拓实被人推着前行。围墙依稀可见，围墙外面似乎就是大海。

众人进入建筑内部，走上了楼梯。这里像是被废弃已久，到处都是灰尘。

楼上有个仅有一张会议桌和几把椅子的小办公室。会议桌上放着电话和录音机般的东西，三个烟灰缸都塞满烟蒂。

拓实戴着手铐被按在椅子上。石原也坐下了。高个子和开天际线、没有眉毛的年轻人站着。

电话响了。没眉毛拿起听筒，说了几句，递给石原。

"是我，那妞怎样了……是吗？那小子呢……知道了。你们回来吧……嗯，没关系。"挂断电话后，石原看着拓实。

"你战友的突袭失败了，真遗憾。"

"千鹤呢？"

"别担心，一会儿就能见面了。"

看来竹美和杰西没能抢下千鹤。

电话又响了。这次石原拿起了听筒。

"是我……啊，听说了。你那边怎么样……哦，没办法。去他们的住处看看。估计没什么收获，不过还是去看看吧。"

放下听筒，石原取出香烟。没眉毛要给他点火，他伸手拨开了，用自己的打火机点燃。

"看来竹美和杰西跑掉了。"拓实说道。

"跑掉就跑掉吧。如果联系不上，他们不也一样发愁？再说，我手里的牌不又多了一张？"

没眉毛嘿嘿笑了起来。石原用可怕的眼神瞪了他一眼。

"冈部是要交给你们的。我不知道现在情况怎样，但会跟他们说的。"

"这事当然要你做。"石原看了看没眉毛，"给宗右卫门町的酒吧打个电话，像是叫BOMBA。"

电话打通后，没眉毛将听筒递给石原。

"喂，还在营业？这就好。半夜三更的真对不住。你是竹美的母亲？我姓石原。对，石原裕次郎的石原。"

他一边说，一边不住地瞄着拓实。"你女儿如果和你联系，希望打下面这个电话告诉我……你只要这么说，她就明白了。"他报出一个七位数的电话号码，又说声"拜托了"，就挂断了电话。"静候佳音吧。"

"竹美也不一定非要打电话来，说不定她会去报警。"

"那个大阪的小姑娘才不会做这种蠢事，看样子她很明白世道是怎么回事。不过，"他喷了一大口烟，"即使警察出动，我们也无所谓，将你和你女朋友交出来就行。但这样就要把冈部牵出来，他对警察什么也不会说。警察会发现案件不成立，就撒手不管。然后，我们再得到冈部。仅此而已。"

"那要警察撒手才行啊。"

"会的，世道就是这样。"石原别具意味地笑着。

连拓实也觉得，这一切的背后似乎有一股巨大的力量在推动。

"那个姓冈部的小子到底干了些什么？"

"没听他说？"

"他不开口，浑蛋！只知道他抢了我的女人。"

拓实并不想开玩笑，那三人听了却笑了。这次石原也不约束部下了。

"有意思。小兄弟，我很欣赏你，有骨气，有拧劲儿，像你这样的人什么也不干，整天游手好闲，真是国家的损失。"

"怎么突然这么说？"

"我是真这么想，才跟你说的。不教你学坏，这件事结束以后，你可要认真工作了。做人还是实实在在好。"

"要你来教训我？"

"当然，这要等那个大阪妞乖乖将冈部交出来之后。这次如果再搞什么鬼，我们也不客气了。"石原眼中又闪出冷酷的光芒，"我们一起祈祷，让这事能妥善解决。"

"我可不会不明不白地就此结束。已经到了这个地步，就奉陪到底好了。"

"你看你，还是这么气盛。"石原苦笑道，"什么都不知道才好呢，那才是为你着想。什么都不懂的人反而能够长命百岁，这世上就是傻瓜最厉害。"

拓实从钢管椅上站起来，可高个子男人立刻站到他面前。

"被人称为傻瓜，有点受不了，是吧？好，我来告诉你一件事。"石原在桌面上捻灭香烟，靠在椅背上，架起了二郎腿，"就连我，这次的事情也没听说多少，这两位几乎什么也不知道。只是人家托我们做什么，我们就做什么，我们一点也没觉得有什么不满意。做人嘛，抓住一两个紧要处就行，其他的方面装傻就好了。"

拓实紧盯着对方，想起冈部曾说过相同的话。

楼下发出一些声响，高个子马上走出房间。

"像是你女朋友回来了。"石原道，"那妞也很倔，光是吓唬撬不开她的嘴。"

"你们将她怎么样了？"

"没怎样，刚才你不是见到了吗？又没破相。看你担心，我就告诉你吧，那方面我也没让他们乱来。当然，冈部那小子早碰过她了，你可能觉得现在怎么样都没区别了。"

"我信你的话。"

"不过，要是你不打电话，就不知会怎样了。嘴再严的女人，我们也有让她开口的方法。当时或许就要用了，知道吗？就是用日光灯那种。"

"日光灯？"

"把日光灯插进那里，再猛踢她的小腹，灯管就在里面爆开。那可比死还难受啊。那种痛苦，我们男人无法体会。"

拓实呻吟了一声。气愤过头，他反倒说不出话来了。

传来一阵上楼的声音，门开了，高个子走了进来。

"那妞怎么办？"

"关到隔壁房间，好好看着。"

"知道了。"

"等等，让我和千鹤说几句话。"拓实说道。

石原皱着眉装出一副不忍的神情。"那种凄惨场面就免了吧。这件事结束后，有的是说话的时间。"

"有些话必须现在说。这件事结束后，说不定就见不着她了。"

"哦，事到如今才对那妞死心啊。"

拓实咬着嘴唇忍受石原的嘲讽，同时也觉得正如他所言，自己开始对千鹤死心了。其实更早的时候就感觉到了，自己是故意抛开真相的。

石原想了一会儿，点了点头。

"只有十分钟，可以吧？"

见拓实点了点头，他就对高个子耳语了几句。

拓实被高个子带到隔壁。那是个六叠大小的房间，里面什么都没有，连窗户都没有，只有一个小小的换气口。一个灯泡从天花板上吊下来，地板上满是灰尘，有东西拖过的痕迹。一想到这痕迹或许是千鹤在地上翻滚留下的，他就备感悲愤。

等了一会儿，感觉外面有人来了。很快，门开了，千鹤被押了进来。她的双手也被铐在身前，身穿连帽运动衫，与在当铺前被掳走时的打扮一模一样。

"千鹤……"拓实叫她。

千鹤身子一靠上墙，就滑下去坐在地上，根本不看拓实的脸。

"千鹤，你没事吧？"

她舔了舔嘴唇，什么也没说，只轻轻点了点头。

"看着我，说些什么吧，只有十分钟啊。"

千鹤像在调整呼吸似的，胸脯起伏了几下，说了句什么。声音太低了，根本没传进拓实的耳朵。

"啊？什么？"拓实来到千鹤身边，弯下了腰。

"对不起。"她嘟囔道。

"道什么歉呢？"拓实对着墙猛踢一脚，"到底是怎么回事，快说清楚！为什么要跟那小子跑？为什么会受这份罪？"

千鹤怯生生地蜷着身体，双手抱膝。

"对不起……"她又道了声歉，"我没想给拓实哥你添麻烦，没想到会变成这个样子。"

"所以说道歉就不必了。到底是怎么回事？我完全摸不着头脑啊。"他的声音在狭窄的房间里回响，"那个姓冈部的小子是什么来头？为什么有人要抓他？为什么你一定要跟他在一起？"

千鹤不答。她将脸埋进双手环抱着的双膝中，像是不想让拓实的声音钻进耳朵。

"千鹤，为什么不说话？就算你将心交给了别的男人，也不应该这样吧？你总得说点什么，好让我接受啊。"

不管他在千鹤耳边怎么吼，她都不抬头。他又踢墙又跺脚，却毫无用处。

不一会儿，门开了，没眉毛探进头来。"十分钟到了。"

拓实叹了口气，俯视着千鹤。"怎么回事啊……"

没眉毛抓住了拓实的胳膊。就在这时，千鹤终于开口了。"放心吧，拓实哥，我一定会救你的。"

"千鹤……"

"会面结束了。"拓实被没眉毛拖出了房间。回到隔壁，他又被按坐在刚才的椅子上。

"怎样？满意了？看你的表情，会面似乎不太成功。"石原说，"别那么消沉，女人有的是。"

拓实抬起头，正想回敬几句，桌上的电话响了。没眉毛拿起听筒。说了声"是"，脸立刻板了起来。

"是那个和黑人在一起的小妞打来的。"他捂住话筒对石原说。

"等的人出现了。"石原歪嘴笑了笑，接过听筒。

33

　　"我是石原。小姐真有胆量啊。你那个黑人男友什么级别……青年组重量级。那还了得？叫他手下留情一些嘛！我这里的年轻人大多身体单薄。接下来准备怎样……嗯？哦，明白，明白……没关系。浅草的小兄弟也老实着呢。"

　　他客气地说完，脸上带着诡笑将听筒递给拓实。"好好跟她说说，我们也不想动粗。"

　　解开手铐后，拓实抓起听筒就喊："喂，你们搞什么鬼？"

　　"声音别那么大……"石原在一旁直皱眉。他戴着耳机，耳机的另一头连着电话，同时，还连到了录音机上。

　　"没办法啊，无论如何也想把千鹤抢回来嘛。"竹美说。

　　"没带冈部那小子去，倒是对的。"

　　"那是因为人没了。"

　　"没了？冈部？"

　　"杰西上厕所的工夫，他就一下子消失了。"

　　"消失了？时生呢？"

　　"好像是一起消失的。"

　　"啊？这是怎么回事？怎么连他都消失了？"

"你问我，我问谁去呀？反正冈部没了，他们也不会交还千鹤了，对吧？所以和杰西商量后，才决定强抢。"

"为什么不先告诉我一声？"

"哪有时间？你当时不是和石原那浑蛋在一起吗？"

听见自己被人称为"浑蛋"，石原苦笑一下。

"你们真会闹，能抢下千鹤倒也罢了，可不还是让他们跑了？"

"我们怎么知道他们会埋伏那么多人？我觉得他们根本就没想交还千鹤。我们交出冈部后，他们也照样会带着千鹤跑的，都是些下三烂的浑蛋。"

"喂，别什么都说出来。"

"有人在监听，对吧？我知道，所以才这么说嘛，那些浑蛋真是十恶不赦！"

石原张大嘴巴，不出声地笑着。

"你们想必也经历了一番苦战，应该知道他们也不是好对付的，结果还是搞砸了。"

"谁搞砸了？呆头呆脑的不就是你吗？什么练过拳击，一下子就被人逮住了，还好意思说？"

拓实紧捏着听筒没有还嘴，石原一把抢过听筒。

"小姐，是我，十恶不赦的石原。你的凛凛威风我已经领教了，你们能不能谈点建设性的话题？我们的时间也不多啊。"

说了这几句，他又立刻将听筒塞到拓实手里。

"喂，你想怎么办？"拓实问道。

"什么怎么办？又不知道他们去哪儿了。"

"你在哪里？"

"你神经病啊？这种事能在电话里说？"

这倒也是。竹美和杰西也正在逃亡。

"只能先猜猜时生可能去的地方了。"

"没什么好猜的，我们不是刚来大阪吗？"

"呃……"

再说，即使现在想到了什么线索，也不能说。石原的手下肯定会赶在前面。

"竹美，十分钟后你再打过来。在此之前，我先交涉好。"

"交涉？怎么交涉？"

"这你就别管了，照我说的去做，明白吗？"

"明白。"听她说到这里，拓实挂断了电话。

石原摘下耳机。"想到什么法子了？"

"没有。"

"那你打算怎样？"

"估计你也听明白了，像是我的同伴带着冈部跑了，原因不得而知。但你要明白，我们不是故意要骗你。"

"明白这个又有什么用呢？"

"我去找他，找到了肯定带到这里来。这样行了吧？"

"有什么线索？"

"线索虽然没有，但我最了解我那同伴，只有我才能将他找出来。"

"哈哈。"石原搔了搔鼻子，"找不到又怎么办？"

"我说能找到。"

"小兄弟，我问的是，找不到又怎么办？"

石原坐到椅子上，将两只脚搁到桌上，身体摇来晃去，椅子吱吱作响。

"喂，现在几点了？"石原问没眉毛。

"嗯，大概是凌晨四点。"

"四点。"石原点点头，看着拓实。"知道《快跑！梅洛斯》^①吗？"

"知道。"

"我想给你二十四小时，但实在等不了那么久，就给你二十个小时，也就是说今夜十二点钟为最后期限。你要在那之前找到冈部。如果找不到，这妞你就别想要了。哦，或许你现在已经不想要了，那就彻底死心吧。我们也不能老窝在这里。到了十二点，我们就要离开这儿，带着那妞离开。然后，大概你再也见不到她了。大概，啊！"

"我一定在那之前找到冈部。"拓实说得斩钉截铁。

"行啊，但我属于不信任梅洛斯那一派的，不能让你一个人去找。喂……"石原喊的是高个子，"你跟他去，要寸步不离。"

"明白。"

"现在是几点几分？"石原再次问没眉毛。

"四点。"

见他不看钟表就给出回答，石原飞起一脚将身边的一把椅子踢出老远。

"你没耳朵吗？我问你几点几分。"

"啊……是四点零八分。哦，现在是零九分了。"

"那么，还有十九小时五十一分钟。"石原对拓实说，"还是抓紧些好。大阪小姐那儿想必快要打电话来了，我替你告诉她好了。"

"他们两人是不相干的，可别难为他们。"

"明白。只要你办得漂亮，就什么事也没有。"石原诡笑道。

走出建筑物时，拓实被蒙住了眼睛，估计是不想让他记住这地方。拓实几乎是被高个子推着走的。这时，不知从什么地方飘来一阵香味。啊，是饼干的香味，肚子饿了，拓实心想，还真是一直没吃东西。

---

①日本作家太宰治的短篇小说。主人公梅洛斯信守诺言，在规定的三天时间内，克服重重困难换回作为人质的朋友，接受死刑。

他被推上了车，车随即行驶起来。高个子坐在他身边，开车的是没眉毛，两人都默不作声。

"真饿，"拓实说，"先填饱肚子再说啊。"

没人理他。

车停了，眼罩被摘下。他下车一看，这地方有印象，正是他被押上车的御堂筋。

"我等你的电话。"没眉毛说。

"好，我每两小时打一次。"高个子答道。

下车后，拓实大大地伸了个懒腰。空气中有一股汽车尾气的怪味。天快亮了，可道路似乎仍在沉睡。

"去哪儿呢？"

"是啊。"拓实摸了摸下巴，那里已经胡子拉碴，"你先告诉我你叫什么，没称呼不方便。"

"我叫什么又有什么关系？"

"既然没关系，说说也不要紧。总不能叫你无名氏吧。"

那人瞪起眼睛俯视了拓实一会儿，说："我姓日吉。"

"日吉？庆应那儿的日吉？"[①]

"对。"

"哦。"拓实想这估计是个假名字，或许他有朋友住在日吉。

日吉看了看手表。"不早点行动，时间可不够。"他语气平板，毫无抑扬顿挫。

"知道。"拓实举起一只手，一辆出租车立刻停在面前。

他们去了上本町的商务酒店。那儿毕竟是拓实他们的窝。尽管他并不认为时生会回那儿，但或许能找出一些线索。

---

①日吉在神奈川县横滨市港北区，庆应大学的一、二年级在那里。

然而，坏的那方面倒是猜中了，没有时生回过房间的痕迹。他本就没什么行李，没有回房间的理由。

"怎么，走投无路了？"出了酒店，日吉冷冷地问道。

"少啰唆！"拓实坐在路边的护栏上，把手伸进口袋，但马上想到口袋里空空如也。他抬头望向日吉："有烟吗？"

日吉沉默着拿出一盒七星。拓实挥挥手表示感谢，抽出一支叼上，日吉伸手用打火机给他点燃。拓实点头致谢。

日吉看着手表，估计是在计算何时定时联络。

"你以前也是拳击手？"拓实问道。

日吉用可怕的目光瞪了他一眼，没有回答。他似乎已经养成不多话的习惯。

"看你这个头，估计是中量级或青年组中量级。"

"还有工夫闲聊？"

"我只想稍稍对你有些了解嘛。你也设身处地替我想想——不明不白地就受了这份罪。"

日吉扭过脸去，表示不感兴趣。拓实叹着气吐出一口烟。

时生为什么要突然带着冈部消失呢？不会是冈部要逃走，他去追赶。如果是这样，他肯定会以某种方式与自己联系。去上厕所的杰西什么都没发觉，只能认为时生是主动带着冈部溜走的。

原因暂且不管，时生带着冈部到底想干什么？他应该知道拓实他们会为此事犯愁。那么，他想尽快联络自己吗？又会和哪里联络呢？竹美那儿？宗右卫门町的 BOMBA？那些地方肯定有石原安下的眼线，鹤桥的烧烤店也一样。时生不会注意不到。

香烟快燃尽了，拓实将烟蒂踩灭。日吉看了看他，那神情仿佛在说，别磨蹭，快动身吧。拓实倒也不好说再来一支了。

"想到什么了？"日吉依然毫无表情地问道。

"还在想呢。"

"你不是一直和那小子待在一起吗？有没有只有你们俩才知道的地方？"

"哪儿有啊？说出来恐怕你也不信，我遇上他也只有几天时间。"

日吉顿时皱起眉头，用怀疑的目光盯着拓实。"真的？"

"真的。说老实话，那小子是什么人、从哪儿来，我也不太清楚。"

"放正经些。"

"没瞎说啊，只知道他的名字，也和你们的一样——还不知道是不是真名呢！"

"真看不出来，还以为他是你的亲戚或家人。"

这次轮到拓实盯着他了。"为什么？"

"也没什么特别的理由。盯了你们很长时间，不知不觉地就这样想了，一开始还以为是朋友，后来觉得不太像。"日吉皱起眉头，将脸转向一边，可能觉得说得太多了。

"喂。"

"怎么？"

"再来一支。"拓实做了个手夹香烟的姿势。

日吉露出厌恶的神情，将烟盒和一次性打火机扔了过去。拓实笑着摸烟，里面只有三根了。

"你一直都抽别人的烟吗？"

"也不是。"

"不，肯定是这样，总想占人的便宜。露出马脚了。"

拓实听了怒火上涌。他扔掉香烟，站了起来。日吉的表情丝毫未变，只是嘴角动了一下。看来他相当自信。

拓实瞪着日吉，想扑过去揍他，可就在一刹那，怒火消失得无影无踪，因为他脑中闪过一个毫不相干的念头。

露出马脚……

会不会在那儿?

拓实想起《空中教室》中的一幅画面。时生曾经想凭那幅画去找爪冢梦作男的住处。他似乎认为爪冢梦作男是拓实的父亲。在千鹤被抓走前,他还说过找到那房子了,还要拓实在千鹤平安得救后到那里去,说是有活着的证人。

没错。拓实确信,时生就是让他去那所房子。他不知道拓实会被石原抓住,但认准了他带走冈部后,拓实一定会拼命寻找他,一定会去那所房子。他为什么要使用这种蛮横的手段呢?况且拓实已经答应他,用冈部换回千鹤后会随他一起去。

"想到什么线索了? "日吉似乎注意到了拓实的表情。

这厮倒是个累赘。估计时生希望拓实独自前往。不知时生是怎么拘押冈部的,但如果带着这厮去那里,弄不好会被他当场把冈部抢去。但没时间了,只能豁出去一赌输赢。

"回刚才的酒店。"拓实道。

"那个破商务酒店?不是什么也没有吗? "

"先睡一觉再说。反正现在这个时间什么也干不了,只会让肚子更饿。"

"睡醒后准备怎么样?像是有苗头了。"

"现在不能说。不能让你们抢了先。"

"还是别说大话为好。行,既然你有了找到冈部的线索,也不必多说了。先要联系一下。"

日吉给石原打电话时,拓实被他铐在电话亭旁的交通标志杆上。他嘟囔道:"这不跟狗一样了嘛。"幸好这时路上还没有行人。

回到商务酒店,拓实摊开身子睡成了一个"大"字。日吉则靠墙坐着。

"你不睡吗?睡一会儿吧。"

"你还有工夫担心别人？"

"好，算我没说。"

拓实转身背对日吉。他困倦不堪，但又不能真睡着。

尽管他心里明白，可不久还是昏昏欲睡，突然，他的右手被人抓住了。他猛地一回头，见日吉正在给他上手铐。

"干什么？我还在睡觉呢。"

"以防万一。"

拓实的双手被反铐在身后，脚上绑了绳子，嘴上也被勒了勒条。做完这些，日吉才出去了，像是去上厕所。

拓实的样子像条大青虫。他爬起身，在包中摸索着。由于是背着手找东西，十分困难，但还是摸到了想要的东西——百龙的哲夫给他的旧交通地图册。

那儿应该在生野区。生野区哪里呢？高……高什么来着？

他想不起来，但找到了生野区那一页，便很费力地撕了下来，然后将地图册放回包中，将撕下的一页折叠起来藏在裤子里。

他刚恢复原先的姿势，门就开了，日吉走了进来。他瞪着拓实打开手铐，解开绳子，又回原处坐下。

"喂，你不饿吗？"拓实问道，"你也很久没吃东西了吧。"日吉不答，双手抱胸，盯着墙壁。

"知道那部叫《红日》的电影吗？三船敏郎和查尔斯·布朗、阿兰·德隆演的，是西部片，阿兰·德隆演火车劫匪，抢了日本特使带来的宝贝，一把要献给总统的日本刀。查尔斯·布朗本来是阿兰·德隆的同伙，被日本武士缠上了，叫他带路去找阿兰·德隆。那个武士就是三船敏郎演的。怎么样，有点像我和你现在的关系吧？"

拓实继续说道："途中，查尔斯问日本武士：'喂，你不饿吗？'你猜那武士怎么回答？"

"武士饿不露相。"

"什么？"

"武士肚子再饿也不露在脸上……应该是这么回答的。"

"原来你早就知道。"

"不知道，但猜也猜得出。"日吉看了看手表，"赶紧起来，今天必须找到冈部。"

"嗯，那就动身吧。"拓实站起身，伸了一个大大的懒腰，"动身之前，我也要去趟厕所。"

日吉自然要跟着一起去。"是大的啊。"拓实在厕所门口说道，"丑话说在前面，我的屎可臭了。"

"快点拉。"

走进隔间，褪下裤子，拓实摊开刚才藏的那张地图看了起来。他瞪大眼睛浏览着那些小字，发现了一个极具启发性的字眼——高江。他想起来了。

他这么蹲着，倒真的来了便意。他耗足时间后走出去，发现日吉正站在门口。

"熏着你了，不好意思。"

"快点！"日吉面露不悦。

街道上车辆已相当稠密，这个世界开始活动了。

日吉又要打电话，拓实照例被铐在交通标志杆上。为什么每个公共电话亭边都有标志杆呢？拓实恨得牙痒。因为这次街上行人多了，不让他们看见手铐可不是件容易的事。

"你的电话打得太勤了，有什么好说的？"日吉从电话亭中出来后，拓实冲他吼道。

"如果接不到我的电话，老大会以为你搞了鬼。这样，真正不利的是你们。"

"这倒也是。"

他们朝车站走去。拓实盘算着甩掉日吉的办法，却一筹莫展。揍他估计会被他躲过，拔腿就跑估计也逃不了，因为跑步也是拳击手必修的功课，先精疲力竭的估计还是自己。就算能跑掉，也只会使千鹤多吃苦头。

他们来到售票窗口。

"不叫出租车了？"

"太想叫了，可要去的那个地方不知道怎么说。那地方有点蹊跷。"

这倒是真话。高江这个地名现在已经没有了。老资格的出租车司机可能还有印象，否则就说不清了。而到站后怎么走，他刚才已在厕所中背了下来。

"去哪里？"

"这个也不能说。"

他们买了到今里站的车票，从上本町过去，只有两站路。

坐上普通电车，在今里站下了车。正值早高峰，车站里相当拥挤。走过车站前的商业街，上了大道后往左拐。拓实想拿出地图查找，但又不愿让日吉看到。

走了十来分钟，拓实停下脚步。他觉得公交车的站名有些印象，照那张老地图看来，从这儿开始就算是高江町了。

这一片的某个地方，就有《空中教室》所画的那个场景。照时生的说法，其中还有拓实出生的房子。如果拓实的推理没错，时生和冈部就潜伏在那里。

"喂，怎么了？干吗老站着？"日吉有些不耐烦地说。

"关键时刻到了。"拓实说，"从这儿再往前，就只能凭感觉了。"

"什么？怎么回事？"

"四下寻找呗，那标记只有我知道。"

拓实抬腿要走，日吉一把抓住他的肩膀。

"什么标记？叫人来一起找不更快吗？"

拓实拨开他的手。

"被你们先找到对我们不利。再说那个标记也说不清，我只有个大致印象。"

日吉皱起了眉头，拓实转身便走。

他确实也只有大致印象——仅凭匆匆看过的一幅漫画，他清楚地记得的只有一根电线杆，可电线杆随处可见。

拓实默不作声，不停地走，可哪里看起来都差不多。他忽然想到：要是现在手上有那本漫画……那就可以找一个当地人，问他漫画上的场景在哪里了。

他总算明白，卖掉漫画时时生为何那么生气了。

时间一眨眼就过去了。日吉已经给石原打过多次电话。从他的神态可以看出，石原也不耐烦了。

"你到底要转到什么时候？"日吉似乎有些按捺不住了，"这个町已经转了几十圈，你真的在找吗？"

"我在拼命找啊，可找不到又有什么办法？"

拓实也没想到会这么麻烦，当时他只觉得到了这儿总会找得到。可认真考虑一下，发现仅靠对一幅漫画的记忆，要找到一户人家确实相当困难。

为什么会觉得一找就找得到呢？因为时生已经找到了。是他比拓实更仔细地看了那幅漫画，记忆更清晰吗？或许是这样，可又不仅仅是这样。

拓实已经不觉得饿了。原本觉得绰绰有余的时间正在不停减少，他开始出汗了，这与其说是因为走路，不如说是因为焦急。

"该打电话了。"日吉扔下这句话就朝公用电话走去。他已经不想再铐住拓实了，而拓实也根本无心逃跑。

在日吉打电话的时候，拓实颓然跌坐在地，脚都走僵了。

一样东西映入他眼帘，是一张绘着町内住宅的地图，连户主的名字都写在上面。

这玩意儿有什么用呢？……刚想到这儿，"麻冈"二字跳进他眼中。

34

日吉打完电话回来，马上注意到了拓实表情的变化。他拉开架势紧盯着拓实。"喂，发现什么了？"

拓实慌忙摇了摇头。"没，没什么。"

他蹩脚的演技根本没起作用。日吉敏锐地扫视四周，很快就注意到眼前的居民分布图。

"是这个啊。"日吉点了点头，接着又冷哼一声，"原来就这么简单，既不是哥伦布的鸡蛋也不是灯下黑。只要看看地图就能明白。"他回头看着拓实，冷嘲热讽。

"还不能确定是否找到了。"

"随你怎么说都行。是哪家？"

"你以为我会说？"

"不说也行，赶紧带我去。"说完，日吉抓住拓实的肩膀。

"好疼！让我再看一会儿。"

拓实看着地图，琢磨着怎么才能将这厮甩掉——论手劲不是他的对手，论脚力也比不上他。

"丑话说在前头，你别打什么歪主意。你要是跑了，我没法交差，拼上性命也要把你抓回来。"日吉站在拓实身后，却好像已看透了他的心思。

"没打什么歪主意。"拓实腋下出汗了。他抛开刚才的念头，抬腿便走，但马上又想起了别的事情。麻冈——好久没想到这个姓氏了。那是我的旧姓，我本来应该叫麻冈拓实。

他明白时生为什么没了那本漫画还能找到那栋房子了。估计他也看到了这幅地图。他说过找到了拓实出生的房子，还说有活着的证人。真是做梦也没有想到，麻冈这个姓氏现在仍在使用。

活着的证人到底是谁呢？他感到不寒而栗，不敢走近那栋房子。

拓实停下脚步，已经靠近了那栋房子是原因之一，但更主要的是一件激发灵感的东西映入了眼帘。

"怎么，就在附近？"日吉问。

拓实不答，直勾勾地看着前方——立在拐角处的电线杆，以及电线杆后成排的破旧小房子。

这景象，拓实很眼熟。毫无疑问，就是那本漫画描绘的风景。尽管当时他只不经意地瞄了一眼，可现在依然在脑海中清晰地呈现出来，与眼前的景象完全吻合。同时，他觉得胸中产生了一种不可名状的冲动。这到底是怎样的心情？是悲伤，是心酸，还带有一点故地重游的缅怀。

发什么神经？他赶紧打消这种念头。自己在这儿的时候还是个婴儿，应该什么也没看到，什么也记不住，现在这种奇怪的感觉完全是错觉。他让自己这么理解。然而，这个小小的町散发出的空气，似乎要将拓实带回到从前，带回连他自己都不知道的过去。

"喂。"

"别烦！"他冲日吉吼了一声，声音之凶连他自己都吃了一惊。

日吉想发作，可一与他目光相接，就稍稍后退了几步。

拓实渐渐平静下来。这里的空气似乎已充斥全身，并且没有令他不快。"就在前面。"他抬腿便走。

屋檐很低的房子一家挨着一家。门面很窄，里面的房间布局简直难以想象。已经腐朽的木建筑随处可见。家家户户门口像是商量好似的都放着洗衣机，其中有几台已经陈旧不堪，简直令人怀疑还能否转动。每家门口都挂着姓名牌。

写着"麻冈"的姓名牌，明显是用做鱼糕的木板制成的。与别家一样，木质的房子已快要烂掉了。

"是这儿吗？"

"我那搭档在不在，可不知道。"

"如果在，就是这里？"

"嗯……"

日吉一把推开拓实，去开三合板做成的门。门锁着。他握着门把手摇晃一阵，开始用拳头砸。薄薄的门板眼看就要被砸坏了。

"也许不是这家。"拓实嘀咕了一句。要真不是这儿，就再也没有线索了。

"等等。"狂暴地砸着门板的日吉往后退了一步。

屋内传来开锁的声音。在他们的注视下，门打开了，露出一位瘦瘦的老婆婆的脸。她看看日吉，又看看拓实，一脸迷惑。

"有事吗？"老婆婆声音沙哑地问道。

"这儿就你一个人？"

"是啊。"

"真的？住这儿的也许就你一个，可现在里边只怕还藏着人吧？"

"莫名其妙，里面没人。"

"是吗？那就让我搜一搜。"日吉毫无顾忌地一把将门拉开。老婆婆本来握着门把手，被他这么一拉，朝外跌了出去，幸好被拓实扶住。

"喂，别乱来！"

日吉不加理睬，直闯进去。

"阿婆，没事吧？"拓实问道。

老婆婆微微动了一下嘴唇，低声说："在里面呢。"

"什么？"

"在壁橱里面。"

拓实明白了。时生的确在这儿，老婆婆要告诉他的就是这个。

拓实轻轻点了点头，跟在日吉后面也进去了。上了脱鞋石，见里面是四叠半大的和室，放着矮脚饭桌等物品。日吉拉开了通向里间的拉门。

拓实迅速环视四周，目光停在一个空酱油瓶上。他伸出右手抄起空瓶，走到日吉身后。他屏住呼吸，抡起空瓶，全力砸向日吉的后脑勺，日吉倏地横向移开。拓实吃了一惊，日吉却已经转过身来，他脸上依旧不动声色，动作却十分敏捷。

脸部受到一击，拓实向后飞了出去，头和背都重重被撞击。等他回过神来，已经倒在脱鞋石上了。

"啊，拓实，挺住啊！"老婆婆将他扶起。拓实纳罕，她怎么会喊出我的名字呢？可现在不是想这个的时候。轻而易举地解决了拓实的日吉，已经打开里屋壁橱的门。

有人怪叫着扑向日吉，是时生。自然，他根本不是日吉的对手，随即被打得撞向墙壁，又沿着墙壁滑下来蹲在榻榻米上。

冈部缩在壁橱里面。他被日吉拖出来时，双手还绑着，估计是时生的杰作。

"玩了捉迷藏，又玩躲猫猫了？冈部先生，你给我放老实些。"日吉冷冷地俯视着他。

"等等，别动粗啊。"

"你老老实实就没事。"日吉揪住冈部的领口，看了一眼拓实等人，"阿婆，电话在哪儿？"

"没有电话。"

"没电话？"他皱起了眉头。怎么可能？他用这样的眼神环视室内，但很快就得到了证明。老婆婆并未撒谎。

日吉哑了哑嘴，揪着冈部就往外走。他穿上鞋，就要出去，拓实从后面抓住他的胳膊。

"等等，说好要用他交换千鹤的。"

日吉眯起眼睛盯着他。"先把这小子带走，那小妞的事以后再说。"

"这算怎么回事？这不是耍赖吗？"

日吉冷笑一声，甩开拓实的手，一拳击中他腹部。他弯下腰，日吉对准他的下颌又是一拳。拓实不由得蹲下，连声音也发不出来，嘴里有一股血腥味快速散开，还混杂着翻涌上来的胃液的酸味。

日吉拖着冈部打开大门。正当拓实觉得万事休矣的时候，忽听一记沉闷的声响，日吉朝他这边飞了过来。

拓实抬头望向门口，一个黝黑壮硕的男人正局促地钻进门，身后跟着竹美。

"你们怎么会找到这里？"

拓实问，但他们似乎不及回答。日吉飞快地站起身来，脱了上衣，摆出进攻的架势。与他对峙的杰西，眼里露出一种以前从未对拓实展示过的拳击手的眼神。

在众人屏气凝神的围观下，日吉先动了。他灵活地踏着步逼近杰西，杰西则轻轻晃动上身躲避。

日吉连连出拳，第二拳掠过了杰西的下巴，紧接着又开始从上往下攻击。或许是他确信直拳已经击中杰西，随即向杰西扑去。

然而，就在这一瞬间，杰西打出一记勾拳。日吉用左臂防卫，但这一拳的冲击力使他摇晃起来。前青年组重量级拳手没有放过这一机会。随着一声闷响，一记左直拳击中日吉的脸庞。

35

"真够丢人啊，净挨揍了。"

竹美看着用手绢擦着嘴角鲜血的拓实，失望地说。

"有什么办法？对手太厉害了。你们怎么会到这儿来？"

"说来话长。"竹美看着时生。

"啊，对了。就是因为你自作主张将冈部带走，事情才越来越乱。你到底安的什么心？快说清楚！"拓实揪住时生的衣袖。

"那也是迫不得已啊。"

"所以我叫你说清楚。"

"责怪时生就没有道理了。"背后有人说道。拓实转回头，见门口站着一个男人。"全靠时生，事情才没有发展到不可收拾的地步。"

那人走了进来。他的脸被阳光照得很清楚。这人很面熟。

"啊，是你。"

"还记得我吧。"

是高仓，拓实离开东京前在锦系町紫罗兰遇见的那个人。

"当时不是约好一找到冈部就马上和我联系吗？还特意写了电话号码给你。"

"谁跟你约好了？只是你自己这么说罢了。"

"如果听我的话，事情也不会糟到这种地步。"

"你能将千鹤要回来？"

"至少能交涉得更好一些。他们可不是一般人，你们毫不知情，却一头撞了进去，能有好结果吗？"

"哼，你这话能相信吗？"拓实将目光从他身上移开，随即看了看时生，"哦，你给他打了电话。"

时生撅起嘴，垂着眼帘。

"为什么要自作主张？"

"眼看着成不了啊。"

"什么？"

"和千鹤的人质交换。冈部被抢走，千鹤回不来，我觉得肯定会这样，也担心你有危险。"

"胡说什么？当时就要成了，正是你给搅和了。"

时生歪了歪脑袋，咕哝道："是吗？"拓实见状更是气不打一处来，正想对他大吼大叫，听见有人在低笑。是高仓。

"时生说得一点也不错。你毫无根据就盲目行事。"

"你说什么？"拓实瞪了高仓一眼，又将目光转向时生，问："喂，这是你跟他说的？"

"我是说，你是因他才得救的。你想要我说几遍才懂？"高仓脸上已经没有笑意，"他打电话给我的时候，我就觉得你们很危险，正如他所说，冈部会被他们抢去，千鹤也回不来。所以，我才要他马上带着冈部离开那儿。因为我要等到新干线的始发车开了，才能有所行动。"

不试怎么知道能不能要回千鹤——拓实正要这样反驳，竹美却抢先插话。

"我在电话中不也说了吗？他们在四周埋伏了好多人，我们带冈部过去，他们就动粗硬抢，压根就没想用千鹤来交换。"

拓实无话可说，不由得呻吟了一声。

"不过，你能找到这儿还真不容易。我问过时生，有没有只有你们俩知道的地方，他就告诉我这儿。因为那些人除了要你去找时生外，别无他策，就赌你来不来这儿了。"似乎高仓觉得也不能一味地贬损拓实，便用赞扬的语气说了这些话。

"嗯，也不是特别难的推理。"拓实怄气似的说了这么一句，又转头看着竹美和杰西问："你们又是怎么知道这儿的？"

"杰西的夹克口袋里塞着一张纸条，像是他去上厕所时时生塞进去的，上面写着这个地方呢。可找到这儿，是在强抢千鹤失败之后。"

"这么说，刚才打电话时，你就知道这个地方了？"

"嗯。"

拓实刚想说"为什么不告诉我"，马上又咽了回去。他想起电话被监听的事。他长叹一声，环视四周，最后将目光落在高仓身上。

"你到底是什么人？把事情来龙去脉讲清楚好不好？莫非你也跟石原他们一样，只顾行动不清楚缘由？"

"不，我属于知道得比较多的，表面的和背后的都知道。"高仓进了房间，盘腿坐下，从上衣口袋中取出名片。"先亮明身份吧。"

拓实伸手接过。上面印着"国际通讯公司第二企划室高仓昌文"。高仓倒是他的真姓。

"国际通讯公司？这是干什么的？"

"是承担以国际长途为代表的国际通讯业务、有政府背景的特殊企业，属于垄断行业，利润自然很丰厚。"

"这种公司的人到底怎么——"

拓实忽然想起一件事。紫罗兰的妈妈桑说过，冈部从事的是电话方面的工作。

"这厮和你是一个公司的？"拓实指着盘腿坐在隔壁房间的冈部问

道。冈部稍一抬头，马上又低了下去。在他身旁，日吉依然昏迷不醒。为保险起见，他的四肢都被绑上了。

"是我们公司的员工，哦，应该说是前员工了。"

"他干了些什么？"

"说他之前，要先说说一个多月前成田的东京海关查出的一件事。我们公司社长室的两名员工因走私被捕。两人都狂购了许多昂贵的艺术品和服饰用品，引起了警察的注意：有政府背景的特殊企业的员工为什么要买那些东西呢？那两人都声称是个人行为，与公司无关，但他们买的东西价值高达几千万。警察怀疑是公司集团犯罪，于是展开调查。这件事在公司内部也引起巨大恐慌。人们纷纷怀疑，公司真的干了这些事吗？我在事发后也一头雾水，详细情况是听副社长说的。"

"副社长……"

"我们公司有两名副社长，代表着主流派和非主流派，这么说比较好懂吧？跟我说这事的是非主流派的，在公司内不怎么得势。"

拓实不完全理解，可还是点了点头。"然后呢？"

"实际就是利用公司的资金在搞走私，领头的就是社长。你要问，为什么要这么干，是吗？走私来的东西是作为礼品送给政客的。"说到这儿，高仓一只眼睛眨了一下。

"这应该算是行贿吧？"竹美问。

"不折不扣的行贿。"高仓点了点头，"如果调查下去，事情肯定会闹大。"

"那么，你现在在干什么？"拓实问。

"现在公司内部正在极秘密地销毁证据，与专案组抢时间。我的任务是保护证据，也就是与警察联手。"

"背叛自己的公司？"

"是热爱公司才这么干的，用副社长的说法就是：我们公司必须要进行自我净化，要借此机会将脓挤掉。"

"是那位非主流派的副社长说的吧？"

"是。"

"挤掉脓，将社长干掉，然后自己坐上社长的位子？"

高仓缩了缩脖子。

"副社长也是上班族，想出人头地也无可厚非。再说，要干的事情也合情合理。"

"这个我就不管了。可冈部这个名字怎么还没说到？"

"就到了。刚才说的仅是引子，正文还在下面。警察不愿将这件事停留在偷逃关税、违反税法的层面上糊弄过去，他们要追查礼品的去向。但直接去找社长毫无用处，他肯定会说自己不清楚这种交际费用。于是他们盯上了社长室的室长。"高仓压低声音，继续说道，"那位室长在被警察传讯的当天，就跳楼身亡了。"

拓实不由得咽了一口唾沫——刚才一直不经意地听着，没想到事情竟朝着危险的方向发展了。

"真的是自杀吗？"竹美问道。

高仓摇了摇头。

"从警察公布的信息来看，似乎没什么可怀疑的。本来嘛，又没有目击者，要判断他是不是自己跳的楼，相当困难。"

"不妙。"竹美嘀咕了一声，看了看众人。

"室长自杀对警方来说是个重大打击。他是与政界接触的窗口，走私来的东西很可能就是由他保管。但也不能说线索就断了。他还有一个助手，跟他不是一个部门的，警察还没找上门。我想控制住此人，可他或许感觉到了危险，突然消失了。"

"明白了，那人就是——"

"对，就是坐在那儿、一脸倒霉相的家伙。"高仓讪笑着看了看冈部。

"那么，将这小子交给警察就行了？"

"嗯，在稍早的时候，那是最好的办法。"

拓实没听明白。"什么意思？"

"室长自杀后，警察也慎重起来，同时，另一股势力也动了。这是在查出不光是礼品，还有向政界人士大肆赠送派对券等行为之后。警察也感到压力很大。"

"怎么？想就此了结？"

"不，无论公司还是警察都不想就此了结。公司方面会有几人被捕，政府官员也有人逃不掉，问题是深入政界到什么程度。"

"是想在这方面敷衍过去吧。"

高仓歪歪嘴角，叹了口气。

"现在考虑的解决方式是，警方将案情掌握到某种程度，但也不追究到底，造成因证据不足而没法立案。"

"就是说，不抓政客？"

"嗯。"

拓实咂了咂嘴。"都是些无耻之徒！这个用大阪话怎么说来着？"他看看竹美。

"下作。"

"对，真是下作！"

高仓晃晃脑袋。

"真是可悲可叹啊！这个国家将会变成什么样子呢？但也不能仅仅袖手旁观。说是证据不足，那就找齐证据好了，其中的关键人物就是这小子。"他指了指冈部。

"原来如此。这小子就是证人，他不愿被警察抓住，所以要逃跑。"

"他要躲的可不是警察，是主流派。得知室长的死讯后，估计他和这位小姐想到一起去了。"

"哦，他担心被抓住了会被灭口。"拓实说。

冈部抬起头，尴尬地眨了眨眼睛，又低下脑袋。

"这么说，石原是要搞垮你的主流派的人？"

"他只是受人雇用。总之，主流派认为冈部是最危险的人物，像定时炸弹一样，所以千方百计想抢在我们前面找到他。"

"是怕被我们先找到吧？"

"不过，也不能简单地把他交给警察了事。根据刚才我讲的情况看，他的证言恐怕会被断章取义。估计警察今后会根据其他方面出现的证据，来考虑如何利用他。"

"如果没有确凿的证据，对他的审讯也会敷衍了事？"

"可能会不严密。"

"那你想如何处置他？"

"先由我们看管起来，根据情况发展，看准警察无法示弱的时机，将他抛出去，即使动用媒体力量也在所不惜。"

拓实听明白了，马上又盯住高仓的脸。

"这可不行。不交出冈部，就换不来千鹤。"

"问题就在于此。我们不能交出冈部，否则他虽说不一定会被灭口，但肯定会被藏到让警察找不到的地方。"

"那千鹤怎么办？"

"我正在动脑筋啊。"高仓摸着下巴说道。

拓实走近冈部。冈部感觉到了，抬起了头。拓实轻轻打了他一记耳光。

"你要逃就一个人逃呗，干吗把千鹤卷进来？"

"我知道对不起她……"

"对不起就行了？干吗要到大阪？"

冈部不答。背后的高仓说道："死了的室长是大阪人，走私来的东西也藏在大阪。他知道藏宝地点，所以就来了。"

"是啊，就把那里的东西一个劲儿地往当铺送，对吧？"

冈部扭过了脸。拓实十分恼火，又抽了他一记耳光，比刚才那次用力多了。冈部恨恨地盯着他。

"瞪什么？你要是被石原抓住，说不定已经没命了。"

冈部不理他，满脸不自在地转过脸去。

"你为难他也无济于事，还不如探讨一下夺回千鹤的战术呢。"竹美道。

"又不知道他们的藏身之处，我当时被蒙住了眼睛。"

"拷问他会有效果吗？"竹美指了指日吉。

"他就算被杰西打死也不会说。"拓实忽然想起一件重要的事情，"对了，要让那小子按时与石原联系，不然石原就会知道出事了。"

"宫本，他们与你约好几时找到冈部？"

"今夜十二点之前。"

"十二点，"高仓看看手表，叹道，"只剩下不到五个小时了……"

36

"呃，可以说点别的吗？"时生看着拓实说道。

"什么？"

"虽说有些不合时宜，但还是有个人想介绍给你。"

"啊？"

随着时生的视线看去，拓实不由得皱起了眉头。这个家的主人——那个老婆婆，正靠着墙缩成一团。她抬头看了看拓实，又马上低下了头。

"既然能找过来，拓实你也应该知道这里是什么地方了。所以说，那位老婆婆是谁……"

拓实将目光从老婆婆身上移开，将脸转向一边，撅起下巴，搔了搔头。

"我们还是回避一下。"竹美说着就要起身。

"没关系，留在这儿好了，又没什么了不得的事。"拓实道。

竹美有些不知所措。她似乎已从时生那儿了解了大概，杰西也一脸不自在。

"好不容易见了面，还是打个招呼吧，再说这次多亏人家协助。"

拓实一听就不假思索地脱口说道："你小子不逃到这儿来，我才不会来呢。"

"可除了这儿，也没什么地方能让我们会合了。可以说，你注定要到这儿。"

"别装腔作势！要是我在这儿不方便，我马上就出去。高仓，我们去外面开作战会议吧。"

高仓也显得无所适从。他抬头看着时生。

"拓实，你这可不像话啊。"时生说道。

"什么？"拓实瞪起眼睛看着他，"你才居心不良呢。故意让我们在这儿见面，显得我不知好歹。我难道是个坏蛋吗？"

"不是坏蛋，是个小孩子。"

"你说什么？"他回头看着竹美。

"打个招呼又怎么了？你们不是有血缘关系吗？"

"已经被扔掉了，还谈什么血缘不血缘！"

"不能说是扔掉吧。那是为你考虑，将你托付给条件好一些的人。"

"养不起就别生啊。怎么？这么说不对？"

"不生现在就没你了，这也无所谓吗？"

"不出生，又有什么好不好的呢？"

竹美摇摇头，叹了口气。

"你这个人不可理喻。时生，你别管这个傻瓜了。"

"你从没觉得来到这个世界真好吗？"时生说道，"你现在不是喜欢千鹤吗？今后你也会喜欢各种各样的人，正因为活着才能这样。"

"我能活到今天，是因为有人抚养我，是姓宫本的养父母，与那个只管生、生下来后一扔了事的人毫无关系。就连猫狗都不会做那种事，总要抚养孩子到能自食其力为止。"

拓实高声吼叫，众人默不作声。在一片沉闷的静寂中，只听见"嘘、嘘"的声响。良久，拓实才意识到那是自己喘气的声音。

他咬紧了嘴唇，就在这时，老婆婆有气无力的声音传入耳朵。

"听说你去过东条家了。"

所有人都看向老婆婆。她端正地坐着，抬眼看着拓实。

"多谢了。这下须美子就没什么放不下的了。真要感谢你。"她朝拓实双手合十，深深低下头。

"拓实！"时生催促似的喊道。

"……真郁闷。"

拓实站起身，快步穿过众人，穿上鞋出了门。来到街上，他用余光看着成排的旧房子，漫无目地走着。也没怎么去回忆，《空中教室》中的场景就自动出现在他眼前。他嘀咕着：这算怎么回事？这些人一点也不明白我的事，净拿我开心……

等他回过神来，发现已走到一个公园前面。一张孤零零的长椅上空无一人。拓实坐下，将手伸进口袋，想掏香烟，可口袋空空如也。"浑蛋！"他朝地上吐了口唾沫。

地面上出现一个影子，呈现出人的形状。拓实抬头一看，见时生站在那儿。

"又来对我说教？"拓实问。

"想叫你去看个地方。"

"又来了。这次是哪里？北海道还是冲绳？"

"就在附近。"时生抬腿就走。

拓实并未马上站起。他想，自己不跟上去，想必时生就会停下脚步。可时生根本不回头看一眼，一个劲儿地走着。看来他已下定决心：如果拓实不跟来，就到此为止。

拓实咂了咂嘴，站了起来。尽管不太情愿，他还是跟了上去。时生似乎感觉到了，放慢了脚步。没过多久，拓实追上了他。

"到底要去哪里？"

"随我来就是了。"

不一会儿，他们走到一条较宽的马路旁。马路上车很多，他们等到绿灯亮起，走了过去。马路对面是成排的高楼大厦，还铺着人行道，时生在行道树下停住脚步。

"只隔一条马路，氛围就完全不同了，对吧？"

"是啊。"

"知道为什么吗？"

"我怎么知道？又没在这里住过。"

"听那老婆婆说，这一带的土地基本上都掌握在某个人手中，只有很少的人居住在自己的土地上。马路这边也是这样，但由于某件事，那个人将土地出手了，于是盖起了高楼大厦。"

"某件事是指什么？"

"火灾。"时生说，"以前，这儿也遍布小民居，但有一天发生了火灾，几乎将整片地区都烧没了。那时的房子全是陈旧的木建筑，一烧起来根本没法救，据说死了几十人呢。"

"这倒是个悲惨的故事，但和我又有什么关系？"

时生默默地从牛仔裤口袋里掏出一个白色信封，递给拓实。

信封上的收件人写着"宫本邦夫"——拓实的养父，收件人地址则是他从小长大的地方的旧地名。

"这是什么？"

"别问那么多，看了就知道。"

"太麻烦了。"拓实将信封推回，"想必你已经看过了，说一下内容不就行了？"

时生叹了口气。

"这是以前东条须美子写给你的信。当时她尚未结婚，所以寄件人写的是'麻冈须美子'。开始她准备寄出去，后来又改变主意。听那位老婆婆说，这信一直放在衣柜的抽屉里面。我也是刚看过。告诉你内容当然也行，但总是难以全部转达，还是你自己看为好。"

说着，他又将信封推到拓实身上。

"没必要看，反正不会有大不了的事情，无非是解释、托词什么的。"

"你害怕什么？"

"谁害怕了？"

"你不就在害怕吗？担心信上写了些你不想知道的事情。现在这样顶多是态度恶劣而已，读了信就不能虚张声势了，是这么想的吧？"

"开什么玩笑？我有什么可担心的？只是不想看那女人的胡言乱语罢了。"

"是不是胡言乱语，自己确认一下不就知道了？你现在这样，在我看来就是担心、害怕。"

拓实看看信封，又看看时生。时生眼神坚定，不像会收手。拓实无奈之下只得伸手接过。

信封中鼓鼓地塞了十张信笺。信笺已经稍稍发黄，上面用蓝黑墨水写着文字。拓实偷偷做了个深呼吸。第一张信笺上写着：

> 这是我写给拓实的信。时机合适时，请交给他看。如果觉得没有必要给他，烧掉也可以。

从第二页起，每张信笺上都密密麻麻写满了文字。

> 拓实，你好吗？我是你的生身母亲。不过，我没有资格声称是你的妈妈。因为生下你不久，我就将你交给了别人。真是很对不住你。如果你因此而怨恨我，我也是自作自受。不管是谁，都知道这是不可原谅的。
>
> 但是，我认为有一件事必须让你知道，就写了这封信。就是

你父亲的事。他叫柿泽巧。是的，以巧为名字的人有很多，你和你父亲也是。[①]他与我们住在同一町内，是个漫画家。估计你没看过他的漫画。他用的爪冢梦作男这个笔名，估计你也没听说过，是根据手冢治虫取的。制造梦想的男人，当然也有这样的意思。遗憾的是，他的作品销量只有手冢治虫的百分之一，几乎不为世人所知，但他的漫画相当不错。

我就是他少数读者之一，但也没什么可自豪的，因为我没有花钱买，是从朋友那里借的。

有一次，我看他的漫画时，发现了一个意想不到的细节——他描绘的某些场景和我居住的町一模一样，就在那本名为《空中飞行的教室》的漫画里。我想，或许他就住在附近，就给编辑部写了信。不久他本人给我回信了，信上写的地址就在同一町内，还欢迎我随时去玩。

我下了很大的决心，去了他的住所。原来，爪冢梦作男的家和我们家一样，也是紧紧地挤在一起的陈旧民居之一。名牌上写着"柿泽"，后面又加了个括号，里面写着"爪冢梦作男"。这时，我才知道他的真名。

他当时二十三岁。他对我的造访表示十分欢迎，据说从来没有读者来过。我见了他，稍稍有些吃惊。他的身体有残疾，不能正常走动。他说他出生不久就得了重病，后遗症导致双腿不能动弹。他的腿细得像晾衣杆，从脚腕往下则和小孩子的脚一模一样。

他平淡地说，因为家境贫寒，生了病也不能及时去医院，治疗迟了，才落下后遗症。

尽管他身有残疾，还是用茶和点心招待了我。他几乎只凭手

---

① "巧"和"拓实"在日语中读音相同。

臂的力量就能非常灵巧地满屋子移动。他说就是上厕所也不费事，事实也是如此。但如果要去外面，就必须坐轮椅，靠自己坐上去相当吃力。轮椅放在大门口。他偶尔会请钟点工来打扫房间、洗洗衣服、做做饭什么的。他说因为没钱，不能天天都叫。那个钟点工我也见过几次，是个为人很好的阿姨。

他出身和歌山的农民家庭。他说自己本该在家里帮忙干活，可什么也干不了，觉得很过意不去。

他的人生价值就是漫画。正如他的笔名显示的那样，他特别热衷手冢治虫的漫画。后来他也开始画，向知名漫画杂志投稿，被采用几次后，他萌生了做专业漫画家的梦想。

二十出头时他来到大阪。据说是出版社的人跟他说过，不去大都市，今后就会落后于时代。本该去东京，可身边的人都劝他，尽量离家近些好，他就妥协了。开始，长他三岁的姐姐和他住在一起，后来姐姐嫁人了，他便独自生活。当时他正有希望成为漫画家，觉得就此回家太可惜了。

对于他的身体，我仅在初次见面时觉得有些吃惊，马上就不以为意了。不仅如此，见过几次后，我就被他吸引了。他性格开朗，博学多才，总是谈笑风生，一点也不让我感到枯燥乏味。最吸引我的，是他让我切实感到他非常在意我。当时，去他家玩是我的一大乐趣，但不能让别人知道，因为世人都认为年轻姑娘独自去男人的房间是没有廉耻的事，更何况这是个身体异常的男人，如果被别人知道了，不知会传出什么流言飞语。就是跟妈妈也不能说，否则她肯定立刻禁止我去那儿。我躲过了所有人的眼睛，偷偷去他那儿。现在回想起来，那真是一段幸福的时光。

然而，不幸突然降临了。有一晚，妈妈把我摇醒，说附近发生了火灾。不知道具体的起火地点，但外面嘈杂的人声显示，火势已经蔓延开来。

我和母亲一起跑到屋外，四周相当昏暗，可街上已经有很多看热闹的人。看到他们奔跑的方向，我产生了一种不祥的预感。柿泽巧就住在那边。我情不自禁地朝那里跑去。

离火灾现场越来越近，我的担心也开始变成绝望。失火的正是他居住的那片地区。人们已经开始扑救，但火势难以遏制。

我不顾一切地朝他家跑去。火舌已经逼近他家大门口，无法靠近。我又转到屋后，因为是一长排的房子，屋后有一条小巷。

我穿过迷宫般的小巷，好不容易来到他家屋后。这时，四周已是烈火逼人，浓烟滚滚。我呼吸困难，眼睛也很难睁开。

我拼命叫喊，敲打着他家的窗户。窗上装着磨砂玻璃，从外面看不到屋里的情况。

不一会儿，窗开了。我先看到了他的手，接着是他的脸。他拼命抬起身子，才打开了窗户。"来干什么？快走！"他对我说。我说："我要和你一起走！"可我也不得不承认，这是不可能的。窗上还钉着几根防盗的铁栅栏。就算没有它们，我也无法将他从窗户中拖出来。我能选择的只有和他死在一起。

他看出了我的心思，悲切地摇着头，说："求你了，你快走吧。我怎么能拖累你呢？你应该加上我的寿命，长久地活下去。只要想到你能活下去，即便在现在这一瞬间，我也已经感受到了未来。"接着他将一个大大的茶叶袋递了出来，说："带上这个快走吧，这是我和你结合后产生的幸运的作品。"我后来才知道，里面装的正是《空中教室》的原稿。

我哭喊着不肯走，他却微笑着关上了窗户，似乎连插销都插上了，窗户再也推不动。

我放声大哭，敲打着窗户。这时火已经烧到身边。闻到头发被烧焦发出的煳味后，我忍不住拔腿逃开。我抛弃了他，选择了活下去。

可是，从那天起我就像痴傻了一样。失去他的悲痛和让他赴死的悔恨，每时每刻都在折磨我。我无法进食。这样下去，说不定我就会死去。救了我的正是你，拓实。

得知怀上了他的孩子后，我决定不管怎样，一定要活下去。我觉得这是我的使命。我细细回味着他最后时刻说的那句话："即便在现在这一瞬间，我也已经感受到了未来。"我相信，他的未来就在我的腹中。

我无法说出这孩子的父亲是谁。我固执地闭口不言，也根本不听周围的人劝我打胎的意见。就这样，拓实，你被生了下来。

下面写的都是我的解释。如果你不愿读下去，也是没办法的事，我没有资格非要你读下去，但姑且写下来吧。

我的梦想就是把你抚养成人，无论如何也要完成这件大事。然而，对于当时还是个孩子的我，办不到的事情太多了。我家收入很少，难以给你提供充足的营养。更不幸的是，我由于身体病弱，没有奶水。我觉得如果这样下去，你的生命就像风中的烛火，随时都有熄灭的危险。我想到了已去世的他。身患重病时，他没能接受良好的治疗，结果落下残疾，悔之莫及。我希望你能成为和你父亲一样了不起的人，但不想让你经历他的遭遇，所以将你的名字改成拓实。

宫本夫妇是我们的恩人，是他们将你健康地抚养成人。无论怎么感谢他们，都是报答不尽的。

如果你忘了我，那也没有关系，但一定要终生孝敬他们二人。还有，你要好好活下去，实现你父亲的未来。我的愿望就是这些。

麻冈须美子

拓实坐在护栏上看完了信。看到一半时，他便忘却了硬而窄的护栏带来的疼痛。

　　他首次接触到生身父母的事情，其中就有"自己为什么被生下来"这个问题的答案。

　　"读完了？"时生问道。

　　"嗯。"

　　"怎么样？"

　　"什么？"

　　"感想。不会没什么触动吧？"

　　拓实撇着嘴站起身，小心地将信叠好，放回信封，递给时生。

　　"没什么特别值得一提的。"

　　时生立刻目露凶光。"当真？"

　　"你生什么气？没什么新鲜事，要说有，也只有一丁点关于那位漫画家的，跟我也没什么关系。"

　　"没关系？"

　　"是啊，他已经不在这个世界上了，也没给我留下什么遗产。"

　　"你为什么只会用这种语气说话呢？"时生悲哀地摇了摇头。

　　"那你要我用什么语气？你以为我看了会深受感动？非要我痛哭流涕，你才满意吗？一时冲动生下来，养不起了就朝外一扔，写的不就是这个？"

　　"你，你到底读了这信中的哪一段？"时生气歪了脸，伸手揪住拓实的领口，用的力气相当大，"你父亲为什么要你母亲去逃生？最后那句话你没看到吗？即便在现在这一瞬间，我也已经感受到了未来……你理解这句话的含义吗？"

　　"不就是临死前说了句漂亮话吗？"

"浑蛋！"

随着一声怒骂，拓实眼前一黑，同时遭到击打，往后倒下。当他明白过来时，时生已经骑到身上，揪住他的衣领，用力摇晃。

"你明白面对死亡的人的心情吗？开什么玩笑！当时大火已经烧到眼前，在这种时候，你能说出未来这样的话？这是在说漂亮话吗？"

拓实看到时生的热泪夺眶而出，这使他丧失了强词夺理的气势。

"确信自己喜欢的人能好好地活着，即便面对死亡，也看到了未来。对你父亲来说，你母亲就是未来。人不论在什么时候都会感受到未来。无论是怎样短暂的一个瞬间，只要有活着的感觉，就有未来。我告诉你，未来不仅仅是明天。未来在人心中。只要心中有未来，人就能幸福起来。因为有人教了你母亲这个，她才将你生下来。可你看看自己，整天牢骚满腹，不思进取。你感受不到未来不能怪别人，要怪你自己，因为你是个浑蛋！"

时生拼命地不停吼叫，拓实却无法将目光从他身上移开。时生的每一句话都像一把锁，将他的身体牢牢锁住，动弹不得。

时生像是突然回过神来般，睁开了眼睛，半张着嘴松开了手。

"对不起……"他咕哝着低下了头。

"解气了？"

时生不作声，从拓实身上站起，拍打着牛仔裤弄脏的地方。

"这些话不应该由我说。我再怎么说，你不理解也是徒劳。但是，拓实，我为自己来到这个世界上感到欣慰。"时生看着拓实，嘴唇的两端向上翘起，又道，"你想说'反正你出生在富裕的家庭'，对吧？"

"不，"拓实摇头，"我才不说这种话呢。"

"行啊，我的事怎样都行。"时生将信封放在还坐在地上的拓实的膝盖上，"我先回去了。"

拓实盘膝而坐，目送时生穿过马路。

37

　　拓实回到老婆婆家中，见每个人都坐在原位。时生仍抱膝而坐。大家都抬头看向拓实，随即又移开目光。

　　拓实清了清嗓子说道："呃，怎么说呢？为了我个人的事情耽搁大家的工夫，不好意思。还是研究一下夺回千鹤的方法吧。"他在时生身旁盘腿坐下。

　　"话是不错，可又不知道她在什么地方。"竹美嘀咕道。

　　"像是在海边，有一大排仓库似的建筑。"

　　"光凭这些怎么够？"竹美撩了撩长发。

　　拓实拍了一下双膝站起身来，走到隔壁。

　　日吉已经醒了。他的手脚都被绑住，倒在榻榻米上，眼神锋利地盯着拓实。

　　"不定时联系行吗？"

　　日吉冷哼一声。

　　"快说，你们那个藏身地在哪里？"

　　"我不会说的，你刚才自己不是说过吗？"

　　"可老这么耗着，你们也得不到冈部。"

　　"反正你们也不想交出来。"

"又不知道他们在哪儿，想交也没法交啊。高仓不想交出冈部，可我不一样，我只想换回千鹤。怎么样，再做一次交易吧。"

日吉默不作声，满脸敌意，但心中无疑在进行各种权衡。

"稍稍动一下脑筋不就清楚了？这么耗下去你们达不到目的，还不如赌一把，说不定还能抢到冈部呢。"

"那个人，"日吉用下巴指了指高仓，"会同意你的提案吗？"

"他想干什么跟我毫不相干。重要的是换回千鹤。你不也一样？把冈部带回去是最重要的。"

"你想怎样？"

"还用说？就是这样呗。"说着，拓实将日吉扳过来，去解他手上的绳子。

"拓实！"

"喂，你想干吗？"

"不然还能怎样？"拓实看看时生又看看竹美，将绑住日吉双脚的绳子也解开了。

手脚都自由了的日吉立刻站起身来，背靠墙摆开架势。像与之呼应般，杰西也站起来，摆出进攻架势。

"竹美，你叫杰西别出手，我跟这厮回去，再带上冈部。"拓实回头看了看日吉，"这下行了吧？最初就是这么说的。"

日吉舔舔嘴唇，点了点头。

"行，但就你一个人去，其他人可别跟着。"

"好啊，行。"

"拓实！"

"少啰唆！什么拓实、拓实的，还有什么办法吗？"

"你一个人去危险。"

"我知道。"拓实转向日吉，"我也有个条件，别叫他们迎上来，也

259

别蒙住我的眼睛。"

日吉稍一考虑，慢慢地点点头。"明白。接受你的条件。"

"这可是男人间的承诺。"拓实伸手一把拉过冈部，"走吧。"

日吉率先走向大门。竹美和杰西极不情愿地给他们让了路。拓实跟在日吉身后。与高仓目光相接时，他停下了脚步。

"对不起了。"

高仓一脸苦相地点点头："嗯，没办法呗。"

"换回千鹤，就全力协助你。"

高仓苦笑着搔了搔头。

三人穿上鞋，来到屋外。日吉抓起冈部的胳膊就走。

拓实正要跟上，忽听后面传来脚步声。"等等。"是那位老婆婆的声音。拓实站定回头看去。老婆婆递来一个东西。"这个，你拿去。"

是一个紫色的护身符袋子，石切神社的。

"这是什么？"

"护身符，里面有能保你平安的条子。"

"这种东西我不要。"

"拿着。"老婆婆紧盯着拓实，"拿着吧。"

拓实接过袋子打开，见里面有一张叠好的纸条。他取出展开一看，上面用圆珠笔草草写着一行字：

拾到者请立即拨打电话：06-752×××　江崎商店。

"你看，"老婆婆微笑道，"管用吧？"

拓实咬紧嘴唇，将纸条重新叠好放回原处。"懂了。我带上。"

"喂，"日吉招呼道，"磨蹭什么？"

"嗯，就来。"拓实转过脸对老婆婆说道，"阿婆，你保重。"

"拓实，"老婆婆抓住了他的手，"小心啊！"

"知道了。"

竹美和时生来到门口，颇为担心地目送着他。拓实朝他们轻轻挥了挥手，迈步前行。

上了大路，日吉叫了辆出租车。三人都坐在后座，冈部被夹在中间。

"去天王寺。"日吉对司机说道。上了年纪的司机低声答应一声，开动了汽车。

"那里就是你们的藏身处？"

日吉不答，直直望着前方。

"嘴还是那么严。"拓实咂了咂嘴，"要是在东京，我就算被蒙住眼睛、堵住耳朵，凭感觉也能知道是哪儿。可在大阪就不辨东西南北了。"

他轻轻戳了一下冈部的侧腹。"都是你，非要逃到大阪来。"

冈部皱起眉头，哼了一声。

"是在海边吧，"拓实边说边窥视日吉的反应，"大概是在饼干厂附近，对吧？"

"饼干厂？"日吉皱起眉头，"什么意思？"

"我刚想起来，今天早晨从那儿出来时，有股饼干的气味，刚出炉的饼干。"

过了一会儿，日吉露出笑容。"要紧的地方出了差错。正因为这样，才会被这种男人抢了自己的女人。"

"你说什么？"

"不是什么饼干，是面包。"

"哦？"

"附近有个面包厂，生产便宜的夹心面包。再告诉你一个线索，那附近没有大海，方向正相反。"

"咦？是面包啊，我可不太喜欢吃面包。"

车速降了下来。

"在哪儿停车？"司机问道。他们已经来到车来人往的十字路口。

"就这儿。"日吉从上衣口袋中掏出钱来。

拓实左手捏着那个护身符袋子，想看准机会递给司机。纸条上写的江崎商店肯定是高仓等人守候的地点。如果司机拨打电话，他们就会知道拓实是在哪儿下的车，这样就有可能找到石原的藏身之处。

"喂，你干什么呢？快下车。"付完车钱，日吉推了一把冈部，拓实也差一点被他推出去。

"啊，等等，脚卡住了。"拓实假装在座位下拔脚，趁势将袋子扔在下面。拜托，司机老兄，你可要早点发现啊！

出租车开走后，日吉仍留在原地一动不动。

"怎么不走？快去你们的窝点啊。"

日吉冲拓实诡秘地一笑，目视远方举起了手。又一辆出租车停在他身旁。

"上车。"日吉说道。

"怎么？又坐车？"拓实圆瞪双眼。

"少废话，快上车，不然就来不及了。"

三人上车后依旧紧紧地挤在一起，日吉飞快地说了去处，只听得是"河内松原"。

"为什么不坐刚才那辆车直接去？"拓实追问。

"以防万一。"日吉道。

"什么？"

"你的伙伴说不定看了那辆车的牌号。我不想让他们查出去向。"

"哎？心还挺细，不过……"

拓实假装不动声色地看着车外，内心焦急万分，腋下都出了冷汗。换乘了出租车，那个护身符袋子就毫无用处了。

出租车似乎行驶在干道上，但离市镇像是越来越远了。虽说不辨东西南北，拓实也知道到了郊外。

大事不妙。没有任何线索，不能指望外援了。他拿定主意，只有靠一己之力放手一搏。

在干道的一个拐弯处，日吉让司机停车。附近有一栋工厂般的建筑物，飘来一股淡淡的饼干，不，面包的气味。

"快走，就在前面！"日吉催促道。

"你们老大还等着吧？"拓实道，"定时联络断了以后，他会不会觉得不妙，撇下你跑了？"

"你要是小瞧他，可没好果子吃。"

"哦，是吗？"

越往前走道路越黑。没有路灯，沿路是一面混凝土围墙。走到围墙的尽头，日吉转了进去，拓实带着冈部紧随其后。眼前的情景他记忆犹新。

"就是这儿。"拓实说道，"没错。就在那个仓库的二楼。"

"觉得亲切吗？"日吉往前走去，见拓实没跟上去，便回头道，"怎么？还不快点过来？"

"我们在这儿等，去把千鹤带来。"

"嗨……"日吉端详了一会儿拓实的脸，慢慢地点了点头，"我们都不可靠，是吧？"

"要我相信你们，可能吗？"

"这倒也是。"日吉怪笑道，"你有种，好，就告诉你吧。"

"什么？"

"我们老大没想将那妞还给你。"

"也许。"

"那妞和这小子老待在一起，还是认为那些丑事她全知道为好。那么，拿住了这小子却放了那妞，有什么意义呢？"

"千鹤什么都不知道，真的。"冈部说道。或许是很久没说话的缘故，他的嗓子哑了。

"去跟老大说吧。"日吉冰冷地说了这么一句，又看着拓实道："想夺回那妞，就看你的本事了。我不讨厌你，可也不会帮你。"

"知道了。快将千鹤带来。"

日吉撇了撇嘴，甩动上衣，抬腿便走。不一会儿，沙砾上的脚步声远去了。

"他说得没错。"冈部道，"他们没想交还千鹤。有什么好办法吗？他们可不是一两个人啊。"

"不用你担心我也一清二楚。"说着，拓实解开了绑住冈部双手的绳子，"你信得过自己的腿吗？"

"腿？"

"问你跑得快不快。"

"你突然问这个……嗯，一般吧。"

"那你就作好心理准备，待会儿要你飞跑。"

"什么？"

"等会儿我一给你信号你就跑，拼命跑。要是不想被他们抓住，就照我说的去做。"

"不交换千鹤了？"

"我倒是想交换，可他们好像没这个意思。"

从房子里出来了几个人影。拓实摆开架势。是石原和日吉，还有三个手下，没有千鹤。

"啊，宫本先生，发生了不少事情啊，都听日吉说了。"石原饶有兴致地说，"冈部先生，我们终于见面了。大家都在找你。"

"我的话好像没转达到。我说过要带千鹤过来。"

"嗯，别着急啊。喂，先带冈部先生上去。"石原命令道。

两个人应声走来。拓实在冈部耳边轻声道："就是现在。"

"啊？"

"跑啊！"

冈部叫了一声，朝大路跑去。

"喂，小子，别跑！"

"站住！"石原的手下也叫嚷着追了过去。

石原和日吉一时间茫然无措。机会只有现在了！拓实朝建筑物跑去。日吉发觉后立刻拦在面前，拓实全力撞去，身体失去了平衡，可他立刻又站了起来，不知日吉被撞得怎样。

拓实跑进建筑物，奔上眼前的一架楼梯。身后已经有脚步声传来。楼梯上放着纸板箱和推车，拓实将这些东西推了下去。在一片金属撞击声中，传来几声惨叫，紧接着又是一声东西落地的闷响。

二楼办公室的门开了，出来的是那个没眉毛的人。

"小子，你干吗？"他叫着举拳就打。

拓实躲过，挥出一记右直拳，正中对方的鼻子下方，有一种炸裂的感觉。没眉毛大叫一声，双手掩面蹲下。鲜血从他脸上滴落。

拓实冲进办公室，见千鹤一脸绝望地站在那里。他关了门，又上了锁。

"拓实哥……"

"开窗！"

千鹤打开身边的窗户。拓实从窗口看了看下面。紧靠着的像是个二手车中心，那仓库的屋顶就在下面。

"千鹤，快跳下去。"他叫道。

千鹤吃了一惊，反倒离开了窗户，脸上掠过惊恐之色。

"浑蛋！怕什么？现在是害怕的时候吗？"

"可是，你看这么个地方。"千鹤将头摇得像拨浪鼓似的。

门外传来声响，像是有人在拨开拓实从楼梯上扔下的东西。有人在怒骂："你小子在这儿干什么！"挨骂的估计是没眉毛。

"快点！"

拓实抓过千鹤的手，总算将她拖到窗框上。千鹤依然在摇头。"不行啊，绝对不行！"

听到门锁被打开的声音，拓实在千鹤背上推了一把。她尖叫一声，掉了下去，在仓库的屋顶上翻滚。拓实见状也跳上窗框，几乎与此同时，门开了，日吉闯了进来。

"不好！"拓实飞身跳下，在仓库的屋顶上连续前滚翻。

"啊，拓实哥，你没事吧？"

"快跑！追来了，快跑！"他飞快地站起身，拉住千鹤的手。

"往哪儿跑啊？"

"从这里跳下去。"

"啊？还要跳？"

背后传来"咚"的一声，是日吉跳了下来。他龇牙咧嘴，似乎崴了脚。

"快！"

跑到屋顶边缘，拓实拉着千鹤的手跳了下去。

下面正好有一辆丰田花冠。两人落在发动机盖上，发出一声巨响，前盖顿时凹了下去。

"跑啊！"拓实拉着千鹤就跑。可是，由于逃亡带来的劳累和监禁的影响，千鹤的身体显得极为沉重，她穿的鞋子也不适合奔跑。

两人在成排的二手车中穿行。他们能感觉到追兵已经逼近，拓实径直往前跑，千鹤一摔倒，他就用力将她拉起。

大路已经近在眼前，他们却不得不放缓速度。因为和大路之间还隔着一道铁丝网。

"浑蛋!"

拓实寻找着铁丝网的出口,但出口紧闭,还上着锁。

两人站在铁丝网前,背后传来踩在沙砾上的脚步声。拓实回头看去,石原和手下正不慌不忙地走过来。

"宫本先生,你的胆量和骨气再次令我佩服。我这里的年轻人真该向你学习。这是真心话,可不是恭维。"石原说着跨前一步。

"漂亮话就别说了,放我们走不好吗?"拓实气喘吁吁地说。

石原苦笑道:"要是我有这种权限,也不是不能考虑,很遗憾,我没被授权。行了,男人要想得开,将那位小姐交给我们。"

"冈部不是已经交给你们了?说好要把千鹤还给我。"

石原不耐烦地皱了皱眉头。

"事到如今,还说这种幼稚的话有什么意思?你不就是明白了这道理讲不通,才演了这么一出吗?既然到目前为止干得很漂亮,那就漂亮到底吧。"

"行啊。"拓实将千鹤藏到身后,"那就让我奉陪到底。想得到千鹤,先过了我这一关。"

"你看看,"石原搔搔头,摆了个无可奈何的架势,"我可不想在这种无聊的事情上浪费时间,可你不答应也没办法。谁去跟他玩两招?"

石原往后一退,日吉走上前来。他紧盯着拓实,脱去上衣,左右扭了扭脖子。

"还是你。"

"刚才我可是手下留情,这次得玩真格的了。"

日吉沉下腰,左臂下垂,摆出架势。

拓实也摆出进攻架势,心中却暗想:够戗啊,只有杰西才是他的对手。但怎能不放手一搏就将千鹤交出去呢?被打倒为止,不,被打倒了也绝不放手。他下定决心。

日吉以脚拖地逼近，看来他相当自信。拓实严加防守。

就在这时，不知从哪儿传来喧闹的音乐声，音量之大在这夜半时分显得很不协调。拓实的注意力受到了干扰。日吉也面露惊讶，往后退了几步，似乎要等待恢复宁静后再与拓实一决高低。

然而，音乐非但没有远去，反而越来越近了。拓实听出是硬摇滚，还夹杂着摩托车的轰鸣。

不一会儿，大路上出现了几十辆摩托车，一望便知是一伙暴走族，在他们正中间有一辆装饰花哨的厢式车，车顶装着大喇叭，摇滚乐就是从那儿发出来的。

这伙人在拓实等人背后停了下来。拓实看到厢式车车身上刷着"BOMBA"，就知道是些什么人了。

音乐停了，摩托车的引擎声也齐齐停住。

厢式车的车门开了，竹美走了出来。她身穿黑色皮夹克，手持一根铁链。她走上前来，铁链拖地哗哗作响。

"让你久等了。"她冲拓实使了个眼色。

"这些家伙是什么人？"

"帮手呗。事情紧急，也只能召集这么多了，都是我以前的玩伴。"

拓实看看四周。这些人的长相个个都非同寻常。

"吓了一跳吧。"

高仓和时生也从厢式车上下来。高仓对拓实点了点头，又看着石原说道："就此收场吧，大家都不想把事情闹大。"

"带着这群小毛孩来唬我？"石原怪笑道。

"不是。我和你的雇主联系过了，事情已经谈拢，将冈部交给你们。这两个年轻人，你们也就别难为了。"

"这事我可没听说。"

"刚决定的，不信可以听这个，这是电话录音。拓实君，接着。"

高仓拿出一个小型收录机，扔过了铁丝网。

拓实伸手接住，递给日吉，日吉又递给石原。石原摁下按钮，将扬声器贴在耳朵上。

"是不是你雇主的声音，听得出来吧？"高仓说道。

石原关上收录机，歪着脸，撅起下唇。

"冈部呢？"他问手下。

"逮住了。"

"哦。"石原摸了摸下巴，慢慢走近拓实。他皱着鼻子，吐出一口气。"算是平局，怎么样？"

"你这么说，就算是吧。"

石原捏起拳头在拓实胸前轻轻一碰，随即转身离去，他的手下也都跟了上去。最后离开的是日吉，他默不作声地指了指拓实的脸，也走了。

拓实靠在铁丝网上，滑了下去，只觉得疲劳如潮水般袭来。

"拓实！"时生隔着铁丝网喊道。

"哦，你们还真找到这儿了。"

"阿婆的护身符帮了大忙，回去可要好好感谢她哦。"

"护身符？换乘了出租车不就没用了吗？"

"打电话来的司机先生说了，"竹美说道，"听说要去面包厂附近什么的，时生一听就说肯定是这儿。"

"时生？"拓实扭头看着后面，"你知道这儿？"

"是个留有回忆的地方。"时生说道，"面包厂旁边的公园……来过一次。"

"公园？哪儿有公园？"

时生微笑道："现在没有，十年后就有了。"

"说什么呢？莫名其妙。瞎蒙的吧，面包厂又不是到处都有。"

拓实想站起身，可一阵疼痛袭来，他的脸都扭曲了。

他刚发现自己扭伤了脚。

38

医院坐落在环状线桃谷车站旁。这是家综合医院，停车场很大，连出租车待客处都有。走进正面的玻璃大门，就是个很大的候诊室，左侧是挂号处，在不同的窗口分别办理入院手续或就诊挂号。

时生去办理入院手续的窗口打听千鹤的病房时，拓实站在候诊室的角落里看电视，"南方之星"乐队正在激情演唱《可爱的艾莉》。

时生回来了。"在五〇二四病房。"

两人朝电梯走去。

"这医院真大、真气派啊，她住的还是单人病房，住院费一定被敲掉很多。"

"住院费不是说由高仓想办法吗？"

"话是不错。可如果住便宜一些的医院，我们不能捞些差额吗？"

"这怎么可能？这种小伎俩亏你想得出来。"

乘电梯上了五楼，他们来到一条长长的走廊。五〇二四病房是尽头处倒数第二间。时生上前敲了敲门，里面传来一个低低的声音："请进。"是千鹤的声音。

拓实打开门，房间约六叠大，病床放在靠窗处，千鹤撑着上半身，面前摊开一本杂志。

"啊，拓实哥，"她顿时活泼起来，"还有时生，你们都来看我了。"

"我们也约了竹美，可她说要练习摇滚。"拓实将带来的纸袋放在床头柜上，"给你买了冰激凌。"

"哇，谢谢。"

"身体怎么样？还是这儿那儿疼吗？"

"没事了。都是高仓先生小题大做，让我住这么大一间病房。老实说，正无聊呢。"

"嗯，反正他出钱，别担心。吃冰激凌吗？"

"嗯。"千鹤点点头，从纸袋里取出一盒冰激凌。

"那些烦人的手续都弄完了吧？听说高仓的同事也问了你很多。"

"基本上都结束了，但还不能放我走。我好像是他们手里一张重要的牌。"千鹤舀起冰激凌放在嘴里，说了声"真好吃"，脸上露出开心的神情。

"真是的，卷入这种无聊透顶的事件。不管是贪污还是走私，反正和我们毫不相干。"

千鹤闻言停下往嘴里送冰激凌的手，垂下目光。

"忘道谢了。拓哥，多谢了。还有时生，给你们添麻烦了。"

"谢就不用了。时候也差不多了吧？"

千鹤抬起头。"啊？"

"可以说说你的真实想法了吗？你到底是怎么想的？为什么不跟我说一声就跑了？你要是真看上了冈部那小子也行。你不跟我说清楚，我也方寸大乱。"

"啊，这个……"千鹤再次低下头，停下手。

"我去外面等。"时生说道。

"不用。只要你不觉得讨厌，就在这儿吧。是吧，千鹤？这家伙也为了你跑得晕头转向的，应该有权听听你的事情。"

千鹤点点头，将冰激凌放在床头柜上，叹了口气。

"冈部早就提出要和我好了。我不讨厌他，应该说还挺喜欢。"

"千鹤……"

"可是，我跟他没有什么。我有了你，所以老躲着他。就这样，有一天，冈部向我求婚了。"

这句话对拓实来说无异于一记反击。他的心猛地一跳，随即咽了口唾沫。

"他要和你结婚，你就跟他了？"

"我当然立刻就拒绝了。但他不死心，说不管等到什么时候都行。后来他又提过几次，要跟我结婚，说他心中只有我。"

"你没跟他说我的事吗？"拓实问道。

千鹤微微一笑，眨了眨睫毛。

"我是个狡猾的女人，最终会在心里衡量：一边是收入稳定的工薪族冈部，一边是无业的拓实哥，跟谁一起过对自己的将来更有利？我要是跟他说你的事，或许他就真死心了，可我也想留着他那张牌。"

"真的？"

"理由太多了。我家里穷，上不起护士学校，做陪酒小姐挣的钱也要寄回家。一句话，就是累，觉得这样没法过上好日子，人生毫无前途。当时我正苦闷着呢，觉得冈部求婚正是不可多得的良机。"

"那就是说我不行？"

"要是拓实哥你向我求婚，就最好不过了。"千鹤露出僵硬的笑容看着拓实，"如果你肯好好工作，肯要我做老婆的话。"

这下轮到拓实低头了。他盯着自己满是泥浆的鞋子，觉得自己没有权利指责千鹤这种不安的想法。千鹤说过很多次，要他好好工作，可他老是唱对台戏。他根本没去用心寻找正经的工作，老觉得没有工作并不是自己的错，责任全在于将自己扔掉的人。他还总想一夜暴富，老说一些虚张声势的空话。

"那件事就是我最后的试探。"

"哪件？"

"去那家公司面试。不是我叫你去的吗？"

"啊……"拓实点点头——有过这事，但觉得已经很久了。

"拓实哥，你没去吧？"

"哎？"

"没去面试？"

"不，我，这个……"

"行了，你别编了，我都看见了。"

"看见什么？"

"我很担心，给那家公司打过电话，询问宫本拓实的面试结果。他们说，这家伙迟到了，被人说了两句，一怒之下就回去了。"

拓实咬住嘴唇。原来那件事千鹤全知道。

"拓实……"时生在背后似乎很失望地叫了一声，"你跟我说参加了面试，还说没有门路所以没成功，原来都是谎言。"

拓实无言以对，只得握紧双拳。

"然而，起决定性作用的还不是这件事。"千鹤说，"我去找你了。想说你几句。我猜得出你会去哪里，无非是弹子房或咖啡店。你果然在仲见世街的咖啡店，摞了一叠百元硬币，在玩'太空侵略者'。"

当时的情景呈现在拓实脑中。原来那时他已被千鹤发现了。

"你发现了我，就藏了起来。"

"嗯……"

"偷偷地藏在桌子底下……"

千鹤说得一点没错。当时怕她发现后埋怨，他的确藏了起来。

"就是在那时，我下定决心，觉得这可不行了。"

"不像男子汉的所作所为，"拓实嘟囔道，"真没出息！"

"我能容忍拓实哥你胡来，我觉得不管是谁，随着年龄的增长总会成熟稳重。但我不愿看到那样的你——虚张声势也好，恼羞成怒也好，总要堂堂正正啊。"

"我让你觉得不可救药了？"

"也不完全是。当时我从你身上也看到了自己的模样：老不走运，干什么都干不好，慢慢地变得奴颜婢膝。拓哥你变成那副模样，肯定也是因为我。我们在一起已经不可救药，我们已经到了必须各奔前程的时候。"

"于是，你选择了冈部？"

"稍早之前，他就约我一起去大阪，说在大阪处理完工作上的事就结婚。我当时还拿不定主意，就用你去面试的事来赌一赌。只要你好好地面试，哪怕不被录用，我也会立刻和冈部一刀两断。"

拓实叹了口气。

"就是说，我自己摸了一张会输的牌。"

"当时，我觉得这是最好的决定。"千鹤慢慢地摇了摇头，"可是，我受到上天的惩罚。没想到冈部干了那种事，详细情况是来大阪后才听他说的，但那时已经无法回头。冈部也很苦恼，我想也只有能走多远就走多远了。这是将人放到天平上比较所带来的惩罚。"她抬起头，再次微笑道，"我做梦也没想到，拓实哥你会来救我。"

"千鹤……"

千鹤看了看床头柜。"冰激凌化了……"

"你今后打算怎么办？"

"不知道。他们不会马上还我自由，我却也能好好休息一下。我无处可去，想等此事告一段落后，就回老家。"

拓实看着无精打采的千鹤，想说"让我们从头来过吧"，可他拼命忍住了。他觉得千鹤不会接受，也明白这不是两人该走的正途。

"我明白了。"拓实走近病床，伸出右手，"你多保重。"

千鹤深深地低下头，瘦弱的肩膀轻轻颤抖着。她还是将手放到了拓实的手掌上。"拓实哥，你也保重。"

拓实用力握住，可千鹤伸出另一只手，将他的手轻轻地拨开了。她抬头看着拓实。双目通红，似乎立刻就要热泪滚滚，却依然笑着。

"谢谢你多方关照。"

拓实无言地点点头，转身离开。时生跟在他身后。拓实想回头再看千鹤一眼，但还是忍住了，走出了病房。

出了医院，拓实一时无话可说，时生也沉默不语。

在桃谷车站买了车票，站在站台上，拓实叼起一支香烟。夜色苍茫。

"我真傻。"拓实低头看着铁轨嘟囔道，"失去了宝贵的东西，发觉了，却为时已晚。"

"我刚才还想，这两人说不定会重归于好呢。"

"是吗？"

"有这样的气氛嘛。"

拓实吐了口烟。"我可不会再丢一次脸。"

"没什么丢脸啊。"

电车进站了。拓实刚要将烟头扔到脚下，随即改变主意，扔进了专门放烟头的铁筒。时生满脸惊讶。

"我也不会老是个愣头青嘛。"说着，拓实笑了。

电车开了一会儿，拓实说道："喂，不去那里看看？"

"哪里？"

"东条家，我想再见一面。当然，如果你不愿意，我也不强求。"

看着窗外的时生将脸转向拓实，紧紧地盯着他，重重地点了点头。

39

　　来到近铁难波车站的检票口，拓实站定，转身面对送行的竹美和杰西，点了点头。

　　"就此告别了，感谢多方照应。"

　　"有兴趣时再来玩，还是吃够了苦头，再也不来了？"竹美怪笑道。

　　"学了不少啊。等我安定下来再和你们联系。"

　　"嗯。"她点了点头。

　　"也多亏了杰西帮忙。"拓实抬头看看这个高大的黑人。

　　"保重。"杰西说了这么一句，随后跟竹美耳语起来。竹美忍俊不禁。

　　"他说什么？"

　　"说你还是别玩拳击了，没这个天分。"

　　"多嘴！"拓实朝杰西做了个冲拳的样子。

　　"时生，这家伙就交给你了。不好好看着他，不知他会疯成什么样呢。"

　　"放心吧。"时生拍了拍胸脯。

　　"你们把我当成什么人了。"拓实扮了个怪相，随即又露出认真的神情，对竹美说，"有件事要向你请教。"

　　"什么呀？一本正经的。"

"你是怎么原谅你妈妈的？"

"啊？"她露出措手不及的眼神。

"你妈妈不是弄死了你爸爸，以伤害致死罪入狱了吗？那时你吃的苦肯定非同一般，对她心怀怨恨也在情理之中，可现在却和她一起其乐融融地经营着酒吧。我想知道你是怎样原谅她的。"

"啊，这事啊。"竹美垂下目光，脸色也舒展开来，显得有些难为情，"没什么原谅不原谅的。母女俩嘛，还能怎么样呢？既然对方心存愧意，自己也就不用多想了呗。"

"哦……"

"不满意吗？"

"不，又学了一招。"拓实看着她的眼睛，"谢谢。"

竹美似乎很惊讶，张开了嘴巴，眨了眨眼睛。

"拓实，时间差不多了。"

"嗯。那么，我们走了。"

"多保重。"

他们通过检票口，见竹美和杰西还站在原处。拓实举起右手。

"她可真不简单啊！"走下台阶时，拓实嘀咕道。时生也点了点头。

坐近铁特快从大阪到名古屋只需两小时多一点。在这段时间里，两人几乎没怎么交谈。拓实望着窗外的景色，心中想着与东条须美子再次见面的事，时生则一直在睡觉。

他到底是什么来路？看着时生的侧脸，拓实想道。说是远亲，但一直没弄清到底是怎样的亲戚关系，他本人似乎也无意弄清。拓实不明白，为什么到目前为止，时生总在自己身边。

"我呀，是你的儿子。"

时生曾这么说过，还说来自未来。这像是在胡说，可又似乎是最诚挚贴切的答复。来自未来，为了帮助不争气的父亲而现身——听起来真不错。拓实甚至心想，要真是这样该有多好啊。

不管这些了。总有一天他会亲口说清楚，有什么可着急的呢？跟他在一起自己会慢慢地发生转变，这倒毋庸置疑，并且是在朝正经人的方向转变。这样不就行了？

抵达名古屋后，和上次一样，他们坐名铁前往神宫前车站。到达时天色已暗，下起了蒙蒙细雨。不知不觉中，日本列岛已被梅雨前锋包围。两人都未带伞，便作好被淋湿的心理准备，迈开了脚步。

春庵的藏青色门帘已经清晰可见。拓实停下脚步，做了个深呼吸。

"怎么？"时生问道。

"有点紧张。"

"啊？"

"走吧。"拓实又迈开脚步。

两人钻过门帘。天色将晚，又下着小雨，店堂里没有客人。东条淳子和上次一样坐在里屋，依然一身和服。看到两人进来，她立刻站起身，径直走上前来。

"你们真的来了。"

"你知道我们要来？"

"今天麻冈阿婆打过电话。"

"哦……"

拓实明白了，是竹美干的。今天要来这儿的事没告诉那位老婆婆，肯定是竹美告诉她的。

"要与母亲见面？"

拓实稍一犹豫，回答："是。"

两人又被带到那间茶室。

"请稍等，马上奉茶过来。"说完，东条淳子就要出去。

"等等。"拓实说，"在与她见面前，有件事必须先向你道歉。"

东条淳子歪着脖子，露出迷惑不解的神情。

拓实重新坐直身子，双手按在榻榻米上，深深地低下头。

"对不起。我将那个弄丢了。"

"什么？"

"你给我的那本书，漫画书。那么重要的东西竟被我弄丢了。不，也不能说是弄丢了，是被我卖给了当铺。我是个傻瓜，当时不知道那有多么重要。真是不知道该如何致歉才好。你打我骂我都没关系，总而言之，实在对不起！"拓实的额头已触到榻榻米。

东条淳子默不作声。拓实不知此刻她表情如何，但他打定主意，不论她说出多么刻薄的话，自己都默默承受。

他听到一声吐气的声音，以为怒骂会汹涌而来，可接下来听到的话语却相当平和。

"请稍等。"继而传来人走出去、关上拉门的声音。

拓实抬起头，看了看时生。

"刚才她很生气吧？气愤过度，说不出话了？"

"没看出来。"时生扭了扭脖子说道。

"难道去拿锋利的菜刀了？"

"怎么会呢！"

"拿菜刀来也无所谓，我就老老实实地让她砍一刀吧。"

"没这种事。"

走廊上传来了脚步声。拓实慌忙恢复低头俯身的姿势。拉门被打开，接着感觉到她在对面坐了下来。

时生忽然惊呼，拓实吓了一跳。

"请抬起头吧。"

拓实稍稍抬头，但眼睛依然闭着。

东条淳子扑哧笑了。"眼睛也请睁开。"

拓实一只接一只睁开眼睛。一看到面前放着的东西，他"哇"地叫了一声，嘴巴惊讶地张成 O 形。

那是手绘的《空中教室》，无疑正是卖给鹤桥当铺的那本。

"这个怎么会在这里？"

"大阪的同行告诉我们发现了爪冢梦作男的手绘作品。我们一直拜托同行，一看到爪冢梦作男的作品马上与我们联系。这是母亲安排的。手绘的作品不多，当时就想会不会是……一见果然是这本。"东条淳子微笑道。

"对不起，"拓实再次低头致歉，"发生了许多事情。"

"别在意，我说过，怎么处理是您的自由。您理解了这作品的意义，我很高兴。"

拓实唯有低头不语。回顾自己的言行，他觉得很不好意思。

"拓实先生，现在可以再次将此书交给您了吧？"

"给我？这样好吗？"

东条淳子点点头。

"除了您，没人有资格拥有这本书。"

拓实伸手拿过漫画，发现手感与第一次接触时明显不同，一股暖流直冲心头。

"对了，我也有一件一定要给你看的东西。"他打开包，取出一封信——那封须美子写给他的信。他将信递给东条淳子。

东条淳子看了收件人姓名，点了点头。"我听母亲说起过这封信，内容也有所了解。"

"请你读一下。"

"不，这是母亲写给您的。"她将信放在拓实面前，"得知这封信平安地到了您手里，母亲一定会很高兴。"

"呃……现在情况怎么样？"

东条淳子稍稍偏了偏脑袋。

"时好时坏。那么，我们就去母亲那里……"

"好的。"拓实看着她的眼睛说道。

拓实跟在东条淳子身后走在长长的走廊上。他发现和式点心的气味已经渗透到房子的每个角落，上次来的时候根本没有留意。

来到长廊尽头的房间前，东条淳子坐下打开拉门。她抬头看了看拓实，点点头，似乎在说"请吧"。

拓实朝房间内张望了一下，见里面铺着被褥，东条须美子躺在上面，好像仍闭着双眼。身旁坐着一名白衣女人，这也和上次一模一样。

"夫人。"白衣女人叫了一声。须美子毫无反应。

"请进。"东条淳子说道。拓实走进房间，但离被褥老远就坐了下来。

"再靠近些……"东条淳子道。

拓实没动。他直直地看着须美子。只见她眨了几下眼睛，又合上了眼皮。

"呃，不好意思，"拓实舔了一下嘴唇，"能让我们单独待一会儿吗？"

"啊？可是……"白衣女人不知所措地抬头看向东条淳子。

"可以啊。"东条淳子立刻作出答复，并看着白衣妇女，问道："就一会儿，应该没事吧？"

"嗯，这个……"

"那我们就离开这儿。"

白衣女人仍有些迟疑，但她看了一眼须美子就站起身来。两人离开后，时生也起身走了出去。

房间里只剩下两人后，拓实仍在原地坐了一会儿，须美子也一动不动。

"嗯……"拓实开口说道，"你睡着了吗？"

须美子的眼睛依然闭着。拓实干咳一声，清了清嗓子，往被褥处移近了一点点。

"你或许睡着了，可我有些话想到这儿来跟你说，我就说了吧。或许你听不见，那也没办法了。"他搔搔脸，又清了清嗓子，"怎么说呢？总之上次的事很对不住你，很多事情，我当时都不知道。"

他皱了皱眉头，搔搔头，又拍了拍膝盖，重新注视着须美子。

"不是你的错。"他说道。

这时，他觉得须美子的睫毛动了一下。他目不转睛地看着，但她的眼睛依然紧闭，一动不动。

拓实咽了口唾沫，吸了口气。

"不是你的错。"他又说了一遍，"虽然风风雨雨的说不清楚，但不是你的错。我的人生只能靠自己，以后，我不会再怪你了，我想说的就是这个。嗯，还有一句。我感谢你生下了我。谢谢。"

拓实双手触地，低下了头。

须美子没有回答，似乎还是睡着了，但已经没关系了。拓实今天来到这儿，就是为了这样低头致意。

拓实吐了一口气，站起身来，想出去叫东条淳子。但一看到须美子沉睡中的脸，他大吃一惊。

有什么东西在他胸中破碎了。这破碎要转化为声音脱口而出，但他拼命忍住了。他如石像一般伫立。

几次呼吸之后，拓实觉得全身的力量都消逝殆尽。他将手插进裤子口袋，走近被褥，然后伸出手。

他紧紧攥着一条皱巴巴的手绢，将颤抖的手伸向须美子的脸颊，轻轻拭去她眼角的泪珠。

40

　　"喂,宫本,你看清楚好不好?应该是'桥本多惠子'女士,你弄成'多惠予'了。"

　　班长指出后,拓实也发现了错误。

　　"啊,真的。对不起,我看错了。"

　　"你也稍稍动动脑筋好不好?哪里会有'多惠予'这样的名字?"

　　我是想按"多惠子"来捡的,不就是弄错了吗?拓实想这样反驳,但还是强忍住了。

　　"对不起。"他摘下帽子,低头致歉。

　　"真不像话,拜托你啊。"班长嘟嘟囔囔地走了。

　　拓实咂了咂嘴,重新戴好帽子。他面前有一长排放着活字的架子,他的工作就是看着手边的纸条,捡出指定的活字。这是一个在向岛边缘的小型印刷公司,工人除他以外只有两个人。他的身份是临时工,眼下正值盛夏,公司贴出了招工广告。拓实已经工作了一个星期,虽然这种捡取小小活字的工作与他的性格有些不合,但差错也太多了。公司也叫他去搬运大量的纸张,或将印好的东西送给客户,这些工作颇费体力,却令他挺愉快。

　　"宫本,有客人找。"秃头社长从办公室里探出头来叫他。

"客人？找我？"

估计是时生，他想。时生在摩托车店打工，负责将二手摩托车堆起来或排成排，是短期的临时工作。拓实听他说过，工作到今天就结束了。估计他结束得早，想过来逛逛。

走进办公室，他才发现等在那儿的客人是他始料未及的。

"气色不错啊。"是高仓，他穿着一件衬衫，外罩白色夹克，脸晒得黝黑。

"哦，好久不见。"拓实低头致意。

"能谈上十分钟或十五分钟吗？"

"应该可以。稍等。"

拓实跟社长打了招呼，得到了许可。拓实的工资是计件制的，所以即便中途离开，也不好说他什么。

他们来到印刷公司对面的咖啡店，拓实要了杯冰咖啡。装有"太空侵略者"的桌子几乎都坐满了。他们坐在木质的普通桌子旁。拓实有些手痒，但还是强迫自己不去看那些正在玩游戏的客人。千鹤说过的话至今仍令他耿耿于怀。

"挑了个非常正经的工作嘛。"高仓点燃烟，略显惊奇地说道。

"我想，在印刷公司工作，人会显得聪明一些。"拓实老老实实地回答。

高仓笑了，将烟灰抖掉。可当他抬起头来时，笑容却消失了。"国际通讯公司的事看来要收场了，想告诉你一声。"

"是吗？特意来告诉我？其实没有必要。"

"别这么说。我们也有自己的办事方式。抽烟吗？"

高仓拿出一包红色的好彩牌香烟，拓实说声"谢谢"，抽出一支。工作场所堆放着许多纸张和印刷用的溶剂，是禁烟的。

"因动用公司交际费购买私人物品，国际通讯公司的社长将以贪污公款罪被捕。也就是说，他将冈部他们在国外买来的东西中饱私囊了。估计冈部也是同样的罪名。"

"只怕不光是中饱私囊。不是说他用那些东西大肆行贿吗？"

高仓点点头。"两个邮政官员的名字浮出了水面，他们将被定为受贿罪。邮政省也不能推得一干二净，所以交出了两个牺牲者。那两人反正另有好处，不值得同情。"

"政客会怎样？有黑幕吧？"

高仓努起下唇，摇了摇头。

"很遗憾，警方的调查到此为止，应该说是有人让他们到此为止。其实，有个大人物的名字已经若隐若现，就到这个程度为止了。派对券、招待、礼品等形式的打点已得到证明，但是否有贿赂的意识难以判明，因此不能立案。也就是说，事情将按照预定方式收场。在我们遥不可及的地方已经有了交易，取得一致了。"

"肮脏。"拓实撇了撇嘴，喝下一大口冰咖啡。

"这事也给你们带来了很大的麻烦，又没能作出什么补偿，十分过意不去。"

"用不着你来道歉……千鹤怎样了？"

"她的事已经妥善处理。她也是受害者，听说你跟她已经分手了。原因如果是这次的事情，我会很不安。"

拓实在他脸前挥了挥手。

"虽说这次的事情是个起因，但早晚会是这个结果。别放在心上。我和千鹤那时都是什么事情也不懂的小鬼，现在终于能以成年人的姿态重新开始了。"说到这儿，拓实歪了歪脑袋，"也许还没成为正常的成年人吧。"

高仓笑着点点头。

"高仓先生，你今后有什么打算？"

"暂时还在现在的公司，还有不少善后工作，早晚要离开。就在这儿说说，我们已有了成立新公司的计划。"

"哦，厉害啊，什么公司？"

"当然还是通讯公司。今后，信息就是最大的商品，因此，通讯手段也将不断更新，比如车载电话什么的。"

"咦？将电话装在汽车上？"

"已经开始规划了。"高仓喝着热咖啡，收紧下巴说道，"到处建立电波的中转站，是一种无线电话。"

拓实觉得好像听过类似的说法。他立刻就想起是听谁说的了。

"车载电话当然很不错，这个要是做成了，想必很快每人都会有一部电话，可以称其为便携式电话。"

高仓正要将咖啡杯端到嘴边，闻言竟不由自主地停了手，脸上露出惊讶的神色。"有意思。的确，迟早会那样的。最大的问题是电话机能否做得小巧玲珑、便于携带。"

"很快就会实现的。不光是日本，国外的工厂也会竞相开发。"

这也是从时生那里听来的。这阵子从他那儿听了不少这种梦呓般的东西，当时只当耳边风，倒也留了一点在脑袋里。

"这样通讯行业就更有发展前景了。"

"高仓先生，你知道微机吗？"

"个人电脑？我不会用，但还知道是什么。"

"听说用电话线将其连接起来，就能交换信息。"

高仓圆睁双眼，频频打量着拓实的脸。"这方面你知道的真多啊！就是这么回事，可没几个人知道，这是去年才开发出来的新技术。你听谁说的？"

"呃，这个……是在什么报上看到的。"

"想不到你对通讯技术这么关心。说下去，那个会怎样？"

"如果能够利用电话线来交换微机里的信息，拥有微机的人也会增多。这样全世界的电话线都会与微机连接起来。以前的电话只能传递声音，但到微机传递信息的时代，影像、图片什么的都可以传递了，这样……可真不得了。"

"继续说。"高仓探出身子。

"呃，其他也没什么好说的了，只是我的胡思乱想。"

"没关系，继续说。"

在高仓的催促下，拓实搔了搔头。事情变奇怪了，他有些后悔。

"如此这般利用电话线进行超大量的信息交换，就像是一张信息的大网，电话机本身也会有很大的变化。刚才所说的便携式电话普及后，将不仅能通话，还会具备一些微机的简单功能，这样，无论是谁拿着它到处跑，都能够获得全世界的信息。这样全世界一下子就连成一片了。"拓实晃了晃脑袋，自己也不太明白在说什么，这些几乎都是从时生那儿听来的，"这样的时代就要来临了。"

高仓紧盯着拓实一会儿，说："你还写小说吗？科幻小说？"

"我？怎么可能？"

"我想也是。刚才这些跟很多人说过了？"

"没有，只跟你说过。这还是头一回说呢。"

"哦。"高仓像是考虑了些什么，诡笑道，"真是大胆奇特的设想呀！现在刚开始规划移动电话，可不能到处嚷嚷这些话。拓实君，你真了不起！"

"是吗？"

"有个人要让你见一下。你能留出时间来吗？"

"时间嘛，我有的是。谁啊？"

"要做新公司社长的人，你的话要让他听听。"

"就这些话？"

"对，谁听了都会感到惊奇的。说定了。"高仓指了指拓实的脸。

这天工作结束后，拓实回到公寓，见时生已经回来了，正在看全国地图，身旁倒着一个方便面纸杯。

"工作结束了？"拓实问道。

"嗯，工钱拿到了。"

"从明天开始打算怎么办？还去找工作吗？"

"明天的事情嘛，"时生仍盯着地图答道，"可以不用考虑了。"

"怎么了？什么意思？"

"拓实，跟你商量一下可以吗？"

"跟我商量？真稀罕。"拓实在时生身边盘腿坐下，叼起了香烟。

"假设有时间机器，人能够回到重大事故之前，将会怎样？"

"别老问些莫名其妙的事情。"拓实抽了一口烟，心想艾古到底比不上好彩，"什么时间机器，怎么会有那种玩意儿？"

"所以我说假设有嘛。会怎么样？"

"还能怎样？知道会发生事故，就不让它发生呗。"

"可这样不就改变过去了？如果事故不发生了，说不定现在会有很大的改变，或许我就不会出生到这个世上。"

"啊？你说什么？我怎么就听不懂呢？"

时生叹了口气。"不懂了吧？"

"拿我开心，嗯？"

"不是。不懂是理所当然的。"时生摇摇头，又将目光移到地图上。

"你现在说的我不懂，可便携式电话和微机什么的我可懂了。今天对高仓露了一手，他听得一愣一愣的。"他对时生说了白天和高仓的谈话。

时生表情认真地听完，点了点头。

"听高仓的没错，肯定能干好。这个或许也不用我说了，因为过去是不会改变的。"

"什么？怎么又是'过去、过去'的。你没受什么刺激吧？"

拓实刚说到这儿，传来了敲门声。

"宫本先生……电报。"是个男人的声音。

"电报？"这种东西还是头一回收到呢。拓实颇感意外地开了门，接过电报。

读了电文，拓实不由得倒吸了一口凉气。他呆呆地站着，茫然无措。

"东条家拍来的？"时生问道。

拓实看着他："你怎么知道？"

时生略带哀伤地微笑着。"今天是七月十日。"

拓实没听明白，也没工夫去考虑，电报的内容刺激着他。

那是东条须美子去世的消息。

41

第二天下午，拓实和时生一起在东京站乘坐高速长途客车。东条家似乎定在今天为须美子守夜，明天举行葬礼。拓实难以决定是否要以亲属的身份出席。事到如今再摆出做儿子的面孔，未免太自作主张了。

"亏你想到坐长途客车，真细心。"时生说道。

"坐新干线太贵了嘛，我今后各方面也要节约一点了。"

"嗯……如果你说坐新干线，我就会劝你坐长途客车。看来过去确实是不会改变的。"

"你小子从昨天起说话就云山雾罩的，是不是脑袋烧坏了？"

车准时出发了。对拓实来说，上次坐新干线是头一回，这次坐高速长途客车也是初体验。这条东名高速公路以前他从未见过。

拓实在车中眺望着坐新干线时没见过的景色，心中想着东条须美子的事。她的死亡使他感到冲击，但并没有引起悲痛的情感。非要说有什么感觉，就是一种失望。现在他才觉得应该与她多交谈，而遗憾的是，这已经不可能了。

唯一挽救的机会，就是在最后一次见面时，他对以前的一切道了歉，并对她生下自己表示了感谢。到底她听到了多少不得而知，但看到她的眼泪时，拓实确信自己的心意已经传达给了她。

时生一直默不作声，闭着眼睛，但似乎并未睡着，不时还皱皱眉头，像在为什么事犹豫不决。拓实跟他搭话，他只是随口敷衍。

车上有卫生间，可在足柄的服务区仍要停车休息十分钟。拓实催时生赶快离开座位。

"你怎么呆头呆脑的，身体不舒服？"

"不是。"

"那是怎么了？"

"没什么。"

他们朝卫生间走去。走到一半时生站住了，将视线投向停在路旁的摩托车。

"喂，在摩托车店打了几天工，不会就成摩托发烧友了吧？"

"钥匙还插着呢。"

"什么？"

"钥匙没拔掉，那辆摩托车。"

拓实一看，果然如此。"太粗心了。以为这种地方没有小偷，要么就是太着急，快要尿裤子了吧。"

时生对拓实的玩笑话无动于衷，样子很古怪。

"反正你又不会开。"拓实道。

"我在摩托车店旁边的空地上练习过。"

"那又怎样？走吧，我倒快要尿到裤子上了。"

拓实刚走了几步，只听时生大叫一声。拓实回头看去。

时生在看一辆红色丰田花冠。三个女孩正在上车，其中一个扎着马尾。

"都是漂亮妞啊，原来你也喜欢。"

"不是因为这个。"

"那是为了什么？你认识她们？"

"不，"时生摇了摇头，"还没认识……"

"还没？"

不一会儿，随着轻微的引擎声，花冠启动了，从两人眼前驶过。

"好，漂亮姑娘走了，我们也走吧。再磨磨蹭蹭，车要开走了。"

时生一动不动。他做了个深呼吸，转向拓实，眼中有一股极真挚的光芒。

"干什么？"拓实不自觉地摆了个姿势。

"拓实，"时生咽了一口唾沫，"就此别过了。"

"啊？"

"到此为止。时间虽然不长，但和你在一起，我过得很开心。"

"你小子说些什么？"

"能与你在一起，我就感到很幸福，在这个世界相遇之前，我就这么想。与现在的你相遇之前，我就非常幸福了。我觉得能生到这个世界上真好。"

"时生，你小子……"

时生咬住嘴唇，像是在忍受什么，又慢慢地摇了摇头。

"也许不应该去改变过去。但是，明明知道会发生什么，却什么也不做，也办不到。"说完，他就跑过去，跨上那辆摩托车，发动了引擎。

"啊，喂，你干什么？"拓实也急忙跑过去，可时生已经驾车离开。

"喂，时生！"

他高喊着，可时生只看了他一眼，并未减速，驶上了高速公路。

拓实急忙环视四周，见客车司机正慢吞吞地走着。

"喂，快点开车！"

见他气势汹汹，司机往后缩了一下。"你是谁？"

"我是乘客。快开车！"

"还有两分钟呢。"

"那有什么关系？我有急事。"

"那可不行。要乘客齐了才能开车。"

拓实跟着司机上了车，见乘客还没到齐，他在座位上坐立不安。

"你身边的乘客呢？"乘务员问道。

"他坐了别的车，不回来了，快开车吧！"

乘务员一脸惊讶。

客车终于开动了。拓实紧盯着前方，然而要追上早几分钟出发的时生已不可能。

时生的行为令人费解。他又为什么要说那些话呢？改变过去——他老讲这种话。这是什么意思？他跳上摩托车又想去干什么？拓实不知道还能不能再见到时生。

过了一会儿，客车突然减速了，几乎是急刹车，拓实往前猛地一栽，额头差点撞上前座的靠背。其他乘客也惊呼连连。

拓实朝前方看去。只见车辆排起了长龙，堵塞十分严重。客车的速度越来越慢，最后终于停了下来。

"怎么回事？"拓实咂了咂嘴，乘客们议论纷纷。

"各位请稍等，现在正在调查。"乘务员安抚道。

拓实担心时生，便瞪大眼睛四处张望。然而，只看得见点点汽车尾灯，根本不知道发生了什么。

乘务员手持话筒，开始解释："根据刚收到的信息，前面的日本坂隧道似乎发生了严重火灾。具体情况不甚明了，但隧道已经无法通过。"

乘客们立刻叫嚷起来。

"怎么会这样呢？"

"我们怎么办？"

"堵在这儿动不了了吗？"

乘务员和司机交谈了几句，又拿起话筒。

"我们暂且在静冈的出口处下高速，然后走国道去名古屋，希望在静冈下车的乘客请报名，我们可以绕道静冈车站。"

拓实提出在静冈下车，但他并非为了尽快到达名古屋。

数十分钟后，车又开动起来。又过了两个小时，才到达静冈车站。夜已深了。

看了车站内的电视，拓实才明白事情原委。日本坂隧道中发生了追尾事故，引发火灾。现在留在隧道中的车辆仍在燃烧，全无灭火的指望。

拓实给东条家打了电话，告诉他们今夜自己恐怕没法赶到了。东条淳子已经从新闻中得知事故，听说拓实平安无事，似乎也放心了。

"您真是遇上麻烦了。拓实先生，今夜您要住在那边吗？找得到旅店吗？"

"会有办法的，明天我坐电车过去。"拓实挂断了电话。他不准备投宿旅店，想在静冈车站内待上一晚。他想，如果时生那时在日本坂隧道前，肯定会过来；如果那时已过了隧道，就与事故无关了——他不愿想象，那时时生正在隧道之中。

然而，拓实想起时生昨天说的话。他似乎已经预见到会发生事故。他是为了阻止这场事故，才抢了摩托车飞驰而去吗？

真是这样吗？

一些无处可去的人不断涌进静冈车站，大概是找不到旅店。拓实坐在装着丧服的包上面，看着每个从面前走过的人。没有时生。

然而，有人引起了他的注意，就是乘红色花冠的那三个姑娘，特别是梳马尾的那个，脸记得特别清楚。三人都已疲惫不堪，蹲在地板上。

拓实想跟她们打招呼，又犹豫不决。他不知道说什么好。

车站里彻夜人满为患。拓实就这样等到天亮。到早晨首班车发车时，时生依然没有出现。

42

拓实未赶上东条须美子的葬礼。当他赶到时，火葬已经结束。东条淳子马上在里屋设了一个祭坛，让他上香。照片上的东条须美子年轻、充满朝气，与拓实记忆中的长相一模一样。他后悔莫及：那时跟她多说说话就好了。

"好像没有您朋友的名字。"上完香，东条淳子将一份报纸递到他面前，像是一份晚报。

拓实打开报纸，首先映入眼帘的是"流通的动脉——东名被切断"这样的标题，下面写着"死亡六人，烧毁车辆六十辆"。这是一篇有关日本坂隧道火灾事故的报道。该文认为恢复交通需要数天时间，事故起因是六辆车连续追尾，其中载有易燃品乙醚的卡车燃烧后，火势蔓延开来，从而造成大约一百六十辆车爆炸起火。火场温度过高，无法扑灭，只能任其自然燃尽。读着这篇报道，拓实不由得直起鸡皮疙瘩，因为只要时机相差一点，自己或许也已葬身火海。

死者的身份已经判明，确实，其中没有时生的名字。遇难者乘坐的车辆都已查明，所以即使时生是个假名字，也肯定不在其中。

可以松一口气了。

可时生去哪里了呢？在静冈车站等了一夜，他也没出现，以为他在事故发生时已通过隧道，可他也没来东条家。

"就此别过了。"他这么说道。他为什么下决心要在那儿告别？他要去干什么？

归根结底，他是什么人？为什么会出现？又为什么消失呢？

拓实曾向东条淳子打听过，时生会不会是自己的远亲。最初，时生就是这么介绍自己的。东条淳子却露出难以认可的神情，歪着脑袋说道："麻冈家好像没有这么一位。"

她的回答自然在意料之中。拓实也一直以为这种说法只是托词。时生有什么隐情，不便公开身份，又必须接近拓实。那隐情到底是什么呢？然而，不管拓实怎么冥思苦想，总想不出说得通的答案。

东条淳子想多留拓实几天，可他还是很快就离开了东条家。他隐隐预感到以后还会多次来到这个家。他现在担心的是时生。

回到东京，也没见时生出现。拓实无奈，只得又恢复了在印刷厂打工的生活。劳累一天后回到家里，也没人在等他。时生出现前，拓实的生活就是这样的，可不知为什么，他现在觉得十分空虚。

日本坂隧道事故后的第十天，他看到一则报道称，隧道的上行方向通车了，但交通堵塞仍十分严重。

以前，拓实不怎么看报纸，可发生那起事故后，他也开始关心起报纸来了。他自己不买，只是在休息时看别人放在车间里的报纸。他觉得或许会再发现一些受害者。然而，所幸的是事故造成的死亡人数并未增加。

正当觉得关于那场事故的报道越来越少的时候，他盯住了报纸社会版的某个角落——那儿刊载着时生的照片，是一张正面照片，下面写着"被发现的溺水者川边玲二的尸体"，报道的标题为"发现了已消失两个月的尸体"。拓实立刻开始阅读。

在静冈县御前崎的海边发生了一件怪事：两个月前被冲上海滩的溺水者尸体一度去向不明，现于同一地点重新被发现。死者是城南大学三年级学生川边玲二（二十岁），他于五月上旬出海进行帆船航行时遭遇风暴，被卷入大海溺水而死。其时，与他同船的同为帆船俱乐部成员的山下浩太（二十岁）也溺水身亡，两人的尸体同时被冲上海岸，被附近的居民发现。然而，就在目击者去报警时，川边的尸体竟不知去向。警方与海上保安本部认为其被潮水卷回大海的可能性较大，并进行了搜寻，结果一无所获。今天凌晨，基本上是在同一地点，又发现了溺水者尸体，根据其携带物品可判明为川边，其家人也认同。尸体几乎没有损伤，也没有腐烂。警方认为，两个月前川边被冲上岸时，可能处于假死状态，苏醒后不知在何地存活，而今又遭水难。但他穿的衣服与两个月前一般无二。因此，这仍是个不解之谜。

拓实瞪大眼睛将那张照片看了很多次，尽管图不太清晰，难以仔细辨认，但那无疑就是时生。

两个月前……

拓实回想起当时和时生见面的情景。不正是两个月之前吗？与他分手的日子是本月十一日，也就是说，是在发现川边玲二的尸体之前。

不会吧？从假死中苏醒的川边玲二自称为时生，与自己待了两个月？怎么会有这种事？拓实根本就不认识川边玲二。

这篇报道一直在他的脑海里挥之不去。他甚至想致电报社询问川边玲二的家在哪里，然后悄悄前去查访。但仅仅是想想，并未付诸行动。

事实上，他也觉得这一切肯定是偶然，是巧合而已。但同时，他更害怕推导出时生正是溺水者这样的结论。拓实希望他依然活在什么地方。

那起事故后约两个月，一天，拓实独自搭乘高速公路长途客车。他听说日本坂隧道的下行线终于开通了。此前东条淳子曾与他联系，说是有些须美子的遗物要交给他。他答应在隧道全面开通后的第一个休息日就过去。

等待发车时，一个他曾经见过的女子上了车。他略一思索，就想出是在哪儿见过她了——隧道事故发生之前，在足柄服务区，事故后不久，在静冈车站也见过。那时，她梳着马尾，现在则披着长发，一身深灰色连衣裙。

她坐在拓实的斜前方。车开动后，她就开始看文库本。拓实一直在看她，发现她的脸要动，就赶紧将目光移开。

客车也同样驰入了足柄服务区。拓实回过神来，发现自己一直在关注那姑娘的动向。她要去哪儿？跟她搭讪，她会见怪吗？

不一会儿，客车从足柄服务区出发了。拓实有些睡意朦胧。这时，有乘客说了声"日本坂隧道"，他睁开了眼睛。

拓实知道隧道近了，他想看看大事故留下的痕迹。在此之前，他又看了一眼那个姑娘，随即不禁屏住了呼吸。那姑娘手捏一串佛珠。

隧道近了。路上画的白线白得瘆人。乘客中发出一阵嘈杂声，分不清是呻吟还是叹息。

那姑娘已将佛珠夹在手指中，双手合十。拓实直直地盯着她。

下一个停车休息地是滨名湖服务区。见那姑娘下了车，拓实也站起身来。

"不好意思………"拓实下定决心跟她打招呼。他作好了受到冷遇的心理准备，可她的眼神中并无见怪之意。

"啊？"

"在那次事故………就是日本坂隧道事故中，有谁遇难了吗？是朋友？"

她有些害羞地低下了头，似乎意识到双手合十的举动被看到了。

　　"我想，你和你的朋友没受伤害吧？或许当时非常危险，是那辆花冠被烧掉了？"

　　她顿时惊讶地睁大了眼睛。

　　"那天在足柄我见过你。那天我也坐长途客车，你们开着一辆红色花冠，对吧？"

　　她露出恍然的神情，轻轻点了点头。"你记得真清楚啊。"

　　"我的同伴很注意你们。后来，在静冈车站也见过你们。事故发生后，你们去了那儿，对吧？"

　　"啊，是啊。我们到达隧道时已经进退两难，动弹不得了。"

　　"真的？那可真悬啊。"

　　"差一点就葬身火海了。我们扔下车，跳了出来。那是朋友的车。"

　　"真是千钧一发！我们都平安无事，真是谢天谢地。"

　　"是啊。"那姑娘将手搭在一只珠子编成的手袋上，那串佛珠估计就在里面，"真是太危险了。事故前我们正好有些小事，因此迟了一会儿进隧道。若再早一点……不过，想想那些遇难者，自己怎么也轻松不起来。当时要是直接过去，说不定遇难的就是我们了。所以……"

　　"我懂你的意思。"拓实立刻回答。他觉得这是个心地善良的姑娘。

　　休息结束，回到客车上，拓实询问可否坐在她身边，她爽快地答应了。

　　她叫筱冢丽子，在池袋的一家书店工作，与父母一起住在日暮里，这次出门是去参加一个在神户的朋友的婚礼。拓实给了她一张名片。这是他擅自用印刷机创作的作品。

　　就在他们互相自我介绍时，不觉客车已经抵达名古屋。时间真是过得飞快。

　　"回到东京还能见面吗？"拓实试探着问道。

丽子稍一犹豫，随即嫣然一笑，在他给的名片背面写了一个电话号码。

"只能在晚上十点以前打。我老爸很烦人的。"

"我在九点以前打。"拓实说着接过名片。

这个约定三天后就兑现了。两人约好在休息日见面，第一次约会的地点在浅草。不用说，拓实做了导游。

拓实一下子就迷上了丽子。丽子的性格有些不拘小节，无论什么时候总心存感激。拓实觉得和她在一起，自己感到宁静安稳，内心一些尖刺般的东西很快就融化了。

每到休息日，拓实就与丽子相会，见不到的时候就打电话听听她的声音。一转眼，三个月过去，新年来临了，二十世纪八十年代也随之到来。

元旦下午，拓实和丽子一起去浅草寺进行新年参拜。回家的路上，两人走进咖啡店。

"我要换公司了。"拓实喝着咖啡说道。

丽子瞪圆了眼睛。"换到什么公司？"

"做通讯的，早就说成立后叫我过去，现在总算准备就绪了。"

年底时高仓和他联系过。这件事早就说过，拓实没当真，所以高仓打来电话时，他很吃惊。

"通讯？"

"以移动电话服务为主，还不止这些。"

拓实说起在头脑中描绘的将来的电话网络系统。这些都是从"他"那里听来的。现在说起这些，拓实觉得亲切，又略感苦涩。

"我可不太懂。"丽子开心地笑道，"既然你这么努力，一定会成功。加油啊。"

"谢谢。"他笑着点点头。

丽子的眼神移到斜上方。那里有一台电视机，歌手泽田研二正在演唱。

"是 Julie。这歌怪怪的，像是新歌。"

拓实看到画面下显示出来的文字，不由得轻呼一声。歌名是《TOKIO》。

"原来时生飞上天了……"拓实喃喃道。①

---

①"时生"用罗马字母也拼作"TOKIO"，与"东京"发音相同。《TOKIO》一歌中有"TOKIO在天空中飞翔"的歌词。

终章

纸杯中的咖啡已变得冰冷。宫本喝了一口润润嗓子，看了一眼挂在墙上的钟。这时，他才发觉，自己已经讲了两个半小时。

远处传来趿拉着拖鞋的脚步声，不一会儿又消失了。深夜里的医院静得吓人。

"川边玲二到底是不是时生，最终也没弄清。老实说，这个名字也是在刚才说的时候才想起来的。真奇怪！以前几乎没有意识到。"宫本微微歪了歪脖子。

"这些事以前怎么不告诉我呢？"丽子问道，"二十年前见过时生的事。"

"我也忘记很久了。不，说忘了不太准确，应该说是没浮到记忆的表面。时生住院后，想到他已经无法挽救了，这些才不知不觉地又冒了出来。可我也不知道该怎么对你说。你会以为我神经错乱了。"宫本苦笑着望着妻子，"谁会相信这种胡言乱语呢？"

丽子直视着他："我相信。"

"是吗？"宫本点点头，叹了口气，"时间到底是怎么一回事，我不太明白。或许也能像时生一样，在什么时候，我的灵魂也能畅游在时间之中。或者是借助了来自未来的灵魂之力，人类才创造了历史。

多亏了时生，我才走上正途。自然，这一切也可以全当成错觉。或许是从前有个叫时生的人，在我年轻时对我产生了一点影响，我就把他当成自己的儿子，借此来减轻一些现在伤痛的心情罢了。一切都在下意识之中。但我还是愿意认为，那时的时生，就是我们的儿子时生。不遇上他，时生就不会降生到这个世界。"

未来不仅仅是明天——这声音至今仍在宫本的脑海深处回响。

"我相信。曾经与你在一起的时生，就是我们的时生。没错！"

"你也愿意这么认为？"

丽子摇了摇头。宫本不解地偏着脑袋。

"不光是相信你的话，我也有我的根据。你的话解开了一个困扰了我二十年的谜。"

"谜？"

"日本坂隧道，"她做了个深呼吸，"你也记得吧？我们三人差一点就被卷入事故之中。"

"嗯，你们将车扔在隧道里，逃了出来。"

"那时，我朋友开得很快。我们都很疯。就在快到隧道的时候，他出现了。"

"他？"

"一个骑摩托车的年轻人。"丽子盯着丈夫的眼睛，"他在我们车旁，老缠着我们，好像还在叫些什么。我那位开车的朋友生气了，就将车停在路肩。于是，他也放慢了速度。我朋友打开车窗，他下了车，说道：'不能再往前去了，老老实实地待在这儿。'当时，不知为什么，他盯着我的脸。看到他，我也有种亲切、怜悯的感觉。"

"是时生……"

"我朋友没理他，关了窗，就又驱车前行，还说这小子是神经病。然而，我却有些担心了。他看起来不像在发疯。我回头看，他又跨上摩托车飞奔起来，对别的汽车也拼命地吼叫着什么。"

"他知道过去是改变不了的，但无法袖手旁观。"

"这时，前方已是隧道了。我们一进去就发现不正常，因为前面的车一下子全都踩起了急刹车。"

宫本知道这就是事故发生的那一瞬间。

"前方发生很大的爆炸声，连熊熊烈焰都看到了。我们不知所措。这时，有人拼命地敲打车窗。正是刚才那个年轻人，不知什么时候他已经追了上来。他打开车门大声吼叫道：'快逃出去，逃出隧道去！拿出所有的力气跑啊！'我们不知道发生了什么事，但都急急忙忙地下了车。这时，他对我说：'一定要努力活下去，因为有美好的人生在等着你。'"

丽子的话一瞬间传遍宫本全身，他心潮澎湃，不一会儿，又在眼睛深处凝结为滚烫的一块。他低下头，眼泪啪嗒啪嗒地落在脚边。

"他……时生，"丽子忍住呜咽，"之后又跑向隧道深处，估计是想挽救更多人的生命。"

"遇难者有七人。"

"我一直在想，这么大的事故，遇难者竟只有七人，肯定是他挽救了很多人的性命。不仅如此，他在隧道前就挡了大家的道，使得路上的车辆全都放慢了速度。如果没有他，包括我们在内，说不定全都将车开得更快，一头钻进隧道。"

他改变了过去，宫本想，否则，历史将更加悲惨。

宫本将手放在妻子肩上。

"这件事我第一次听说。"

"我也是突然想起的。怎么会这样呢？这很重要吗？"

宫本想，这也许就是时间的法则。或许是为了不产生时间悖论，时间操纵了自己。

"我和你都被他救了。"宫本道，"被如今沉睡的儿子救了。"

"你刚才叙述中出现的时生，难道真是川边玲二吗？如果是这样，那时，时生他……"

宫本明白妻子想说什么，连她那种说不下去的心情也完全能够体会。

他摇了摇头。

"或许是时生借了川边玲二的身体出现在我面前，但仅仅是借用。归还之后，估计他又走上了新的旅途。"

"是吗……"

"相信是这样。"他用力握了握妻子的肩膀。她将手放在他的手上。

就在这时，走廊上传来了跑步声。宫本不由自主地看了看丽子的脸，丽子也看着他。他相信，两人产生了同一种预感。

是一名护士。从她紧张的面容上，宫本感到最后的瞬间即将来临。

"您儿子的状况有些变化……"护士只说了这么一句。宫本夫妇同时起身。

"神志怎么样？"

"也许恢复了，可是——"

宫本没听完便向前奔去，丽子紧随其后。他们冲进重症监护室时，医生正在观察时生的脸，一名护士正在观察一旁的显示屏。两人的表情都相当严肃。

"请呼唤他吧。"医生对宫本说道。他嗓音低哑，似乎在暗示已经无能为力。

丽子在床边弯下腰，握住儿子的手。她泪流满面，不停地呼唤着儿子的名字。根本不知道时生是否听得到，他一动不动。

宫本看看呜咽着的妻子，又看看紧闭双眼的儿子。他本该悲伤，却觉得感情早已烟消云散，现在就像在看一张照片。

他将手放在妻子的背上。

"时生没死，是踏上了新的旅途。刚才不是已经确认过了吗？"

丽子连连点头，可仍抽噎着。

儿子健康活泼时的模样不断出现在宫本的脑海中。他能听到儿子当时的声音，甚至体味到了和儿子一起疯闹时的感觉。他抬起头，泪水流过脸颊，流过脖子。

这时，他突然发觉，自己还有件要紧的事情没做。

宫本紧盯着时生，接着又将嘴凑到他耳边。

"时生，听得见吗？时生——"

这可不能忘了。这是最重要的事情。这件事不告诉他，他就无法开始新的旅程。

宫本用尽全身力气呼喊：

"时生，我在花屋敷等你！"

图书在版编目（CIP）数据

时生／〔日〕东野圭吾著；徐建雄译 . － 2版 .
－海口：南海出版公司，2015.7
（东野圭吾作品）
ISBN 978－7－5442－7772－3

Ⅰ.①时… Ⅱ.①东…②徐… Ⅲ.①长篇小说－日
本－现代 Ⅳ.① I313.45

中国版本图书馆 CIP 数据核字（2015）第 092987 号

著作权合同登记号　图字：30－2008－201

时生

〔日〕东野圭吾 著

徐建雄 译

出　　版 南海出版公司　　（0898）66568511
　　　　　海口市海秀中路51号星华大厦五楼　 邮编 570206
发　　行 新经典发行有限公司
　　　　　电话（010）68423599　　邮箱 editor@readinglife.com
经　　销 新华书店

责任编辑 张　锐
特邀编辑 王　雪
装帧设计 金　山　朱　琳
内文制作 王春雪

印　　刷 北京汇林印务有限公司
开　　本 850毫米×1168毫米　1/32
印　　张 9.75
字　　数 211千
版　　次 2010年1月第1版　2015年7月第2版
印　　次 2018年11月第52次印刷
书　　号 ISBN 978－7－5442－7772－3
定　　价 39.50元